OS ESCRAVOS

CASTRO ALVES

OS ESCRAVOS

Esta é uma publicação Principis, selo exclusivo da Ciranda Cultural
© 2020 Ciranda Cultural Editora e Distribuidora Ltda.

Texto
Castro Alves

Produção e projeto gráfico
Ciranda Cultural

Imagens
Paul Craft/Shutterstock.com;
Gleb Guralnyk/Shutterstock.com;
Black creator 24/Shutterstock.com;

Revisão
Project Nine Editorial

Dados Internacionais de Catalogação na Publicação (CIP) de acordo com ISBD

A474e   Alves, Castro

Os escravos / Castro Alves. - Jandira, SP : Principis, 2020.
128 p. ; 16cm x 23cm. – (Literatura Clássica Mundial)

Inclui índice.
ISBN: 978-65-555-2064-4

1. Literatura brasileira. 2. Poesia. I. Título.

2020-1164

CDD 869.1
CDU 821.134.3(81)-1

Elaborado por Odilio Hilario Moreira Junior - CRB-8/9949

Índice para catálogo sistemático:
1.! Literatura brasileira : Poesia 869.1
2.! Literatura brasileira : Poesia 821.134.3(81)-1

1ª edição em 2020
www.cirandacultural.com.br
Todos os direitos reservados.
Nenhuma parte desta publicação pode ser reproduzida, arquivada em sistema de busca ou transmitida por qualquer meio, seja ele eletrônico, fotocópia, gravação ou outros, sem prévia autorização do detentor dos direitos, e não pode circular encadernada ou encapada de maneira distinta daquela em que foi publicada, ou sem que as mesmas condições sejam impostas aos compradores subsequentes.

SUMÁRIO

A bainha do punhal...7

A canção do africano 9

A criança..11

A cruz da estrada...13

A mãe do cativo 15

A órfã na sepultura..18

A visão dos mortos..23

Adeus, meu canto 26

América 34

Antítese..37

Ao romper d'alva 39

Bandido negro 43

Canção do violeiro 47

Confidência..49

Estrofes do solitário...54

Fábula 57

Frades 60

Jesuítas e frades...61

Lúcia 63

Manuela 67

Mater dolorosa...72

O canto de Bug-Jargal 74
O derradeiro amor de Byron 77
O navio negreiro 80
O século 90
O sibarita Romano 95
O sol e o povo 98
O vidente 99
Prometeu 103
Remorso 105
Saudação a Palmares 108
Súplica 111
Tragédia no lar 113
Vozes d'África 122

A BAINHA DO PUNHAL

(Fragmento)

Salve, noites do Oriente,
Noites de beijos e amor!
Onde os astros são abelhas
Do éter na larga flor...
Onde pende a meiga lua,
Como cimitarra nua
Por sobre um dólmã azul:
E a vaga dos Dardanelos
Beija, em lascivos anelos
As saudades de 'Stambul.

Salve, serralhos severos
Como a barba dum paxá!
Zimbórios, que fingem crânios
Dos crentes fiéis de Alá!...
Ciprestes que o vento agita,
Como flechas de Mesquita
Esguios, longos também;
Minaretes, entre bosques!
Palmeiras, entre os quiosques!
Mulheres nuas do Harém!

Castro Alves

Mas embalde a lua inclina
As loiras tranças pra o chão
Desprezada concubina,
Já não te adora o sultão!
Debalde, aos vidros pintados,
Aos balcões arabescados,
Vais bater em doido afã...
Soam timbales na sala...
E a dança ardente resvala
Sobre os tapetes do Irã!...

A CANÇÃO DO AFRICANO

Lá na úmida senzala,
Sentado na estreita sala,
Junto ao braseiro, no chão,
Entoa o escravo o seu canto,
E ao cantar correm-lhe em pranto
Saudades do seu torrão…

De um lado, uma negra escrava
Os olhos no filho crava,
Que tem no colo a embalar…
E à meia-voz lá responde
Ao canto, e o filhinho esconde,
Talvez pra não o escutar!

"Minha terra é lá bem longe,
Das bandas de onde o sol vem;
Esta terra é mais bonita,
Mas à outra eu quero bem!

"O sol faz lá tudo em fogo,
Faz em brasa toda a areia;
Ninguém sabe como é belo
Ver de tarde a papa-ceia!

Castro Alves

"Aquelas terras tão grandes,
Tão compridas como o mar,
Com suas poucas palmeiras
Dão vontade de pensar.

"Lá todos vivem felizes,
Todos dançam no terreiro;
A gente lá não se vende
Como aqui, só por dinheiro."

O escravo calou a fala,
Porque na úmida sala
O fogo estava a apagar;
E a escrava acabou seu canto,
Pra não acordar com o pranto
O seu filhinho a sonhar!

***

O escravo então foi deitar-se,
Pois tinha de levantar-se
Bem antes do sol nascer,
E se tardasse, coitado,
Teria de ser surrado,
Pois bastava escravo ser.

E a cativa desgraçada
Deita seu filho, calada,
E põe-se triste a beijá-lo,
Talvez temendo que o dono
Não viesse, em meio do sono,
De seus braços arrancá-lo!

A CRIANÇA

– Que veux-tu, fleur, beau fruit, ou l'oiseau merveilleux?
– Ami – dit l'enfant grec, dit l'enfant aux yeux bleus –
Je veux de la poudre et des balles.
Victor Hugo (Les Orientales)

Que tens criança? O areal da estrada
    Luzente a cintilar
Parece a folha ardente de uma espada.
Tine o sol nas savanas. Morno é o vento.
    À sombra do palmar
O lavrador se inclina sonolento.

É triste ver uma alvorada em sombra,
    Uma ave sem cantar,
O veado estendido nas alfombras.
Mocidade, és a aurora da existência
    Quero ver-te brilhar.
Canta, criança, és a ave da inocência.

Tu choras porque um ramo de baunilha
    Não pudeste colher,
Ou pela flor gentil da granadilha?
Dou-te, um ninho, uma flor, dou-te uma palma,
    Para em teus lábios ver
O riso, a estrela no horizonte da alma.

Castro Alves

Não. Perdeste tua mãe ao fero açoite
    Dos seus algozes vis.
E vagas tonto a tatear à noite.
Choras antes de rir... pobre criança!...
    Que queres, infeliz?...
– Amigo, eu quero o ferro da vingança.

A CRUZ DA ESTRADA

Invideo quia quiescunt.
Luthero (Worms)

Tu que passas, descobre-te! Ali dorme
O forte que morreu.
Alexandre Herculano (Trad.)

Caminheiro que passas pela estrada,
Seguindo pelo rumo do sertão,
Quando vires a cruz abandonada,
Deixa-a em paz dormir na solidão.

Que vale o ramo do alecrim cheiroso
Que lhe atiras nos braços ao passar?
Vais espantar o bando buliçoso
Das borboletas, que lá vão pousar.

É de um escravo humilde sepultura,
Foi-lhe a vida o velar de insônia atroz.
Deixa-o dormir no leito de verdura,
Que o Senhor dentre as selvas lhe compôs.

Castro Alves

Não precisa de ti. O gaturamo
Geme, por ele, à tarde, no sertão.
E a juriti, do taquaral no ramo,
Povoa, soluçando, a solidão.

Dentre os braços da cruz, a parasita,
Num abraço de flores, se prendeu.
Chora orvalhos a grama, que palpita;
Lhe acende o vagalume o facho seu.

Quando, à noite, o silêncio habita as matas,
A sepultura fala a sós com Deus.
Prende-se a voz na boca das cascatas,
E as asas de ouro aos astros lá nos céus.

Caminheiro! do escravo desgraçado
O sono agora mesmo começou!
Não lhe toques no leito de noivado,
Há pouco a liberdade o desposou.

A MÃE DO CATIVO

Le Christ à Nazareth, aux jours de son enfance
Jouait avec la croix, symbole de sa mort;
Mère du Polonais! qu'il apprenne d'avance
A combattre et braver les outrages du Sort

Qu'il couve dans son sein sa colère et sa joie;
Quel ses discours prudents distillent le venin,
Comme un abime obscur que son cœur se reploie
À terre, à deux genoux, qu'il rampe comme un nain!
       Mickiewicz (A mãe polaca)

I

Ó mãe do cativo! que alegre balanças
A rede que ataste nos galhos da selva!
Melhor tu farias se à pobre criança
Cavasses a cova por baixo da relva.

Ó mãe do cativo! que fias à noite
As roupas do filho na choça da palha!
Melhor tu farias se ao pobre pequeno
Tecesses o pano da branca mortalha.

Misérrima! e ensinas ao triste menino
Que existem virtudes e crimes no mundo
E ensinas ao filho que seja brioso,
Que evite dos vícios o abismo profundo...

E louca, sacodes nesta alma, inda em trevas,
O raio da espr'ança... Cruel ironia!
E ao pássaro mandas voar no infinito,
Enquanto que o prende cadeia sombria!...

II

Ó mãe! não despertes est'alma que dorme,
Com o verbo sublime do Mártir da Cruz!
O pobre que rola no abismo sem termo
Pra qu'há de sondá-lo... Que morra sem luz.

Não vês no futuro seu negro fadário,
Ó cega divina que cegas de amor?!
Ensina a teu filho, desonra, misérias,
A vida nos crimes, a morte na dor.

Que seja covarde... que marche encurvado...
Que de homem se torne sombrio réptil.
Nem core de pejo, nem trema de raiva
Se a face lhe cortam com o látego vil.

Arranca-o do leito... seu corpo habitue-se
Ao frio das noites, aos raios do sol.
Na vida, só cabe-lhe a tanga rasgada!
Na morte, só cabe-lhe o roto lençol.

Os Escravos

Ensina-o que morda... mas pérfido oculte-se
Bem como a serpente por baixo da chã
Que impávido veja seus pais desonrados,
Que veja sorrindo mancharem-lhe a irmã.

Ensina-lhe as dores de um fero trabalho...
Trabalho que pagam com pútrido pão.
Depois que os amigos açoite no tronco...
Depois que adormeça co'o sono de um cão.

Criança, não trema dos transes de um mártir!
Mancebo, não sonhe delírios de amor!
Marido, que a esposa conduza sorrindo
Ao leito devasso do próprio senhor!...

São estes os cantos que deves na terra
Ao mísero escravo somente ensinar.
Ó mãe que balanças a rede selvagem
Que ataste nos troncos do vasto palmar.

III

Ó mãe do cativo, que fias à noite
À luz da candeia na choça de palha!
Embala teu filho com essas cantigas...
Ou tece-lhe o pano da branca mortalha.

A ÓRFÃ NA SEPULTURA

Minha mãe, a noite é fria,
Desce a neblina sombria,
Geme o riacho no val
E a bananeira farfalha,
Como o som de uma mortalha
Que rasga o gênio do mal.

Não vês que noite cerrada?
Ouviste essa gargalhada
Na mata escura? Ai de mim!
Mãe, ó mãe, tremo de medo.
Oh! quando enfim teu segredo,
Teu segredo terá fim?

Foi ontem que à Ave-Maria
O sino da freguesia,
Me fez tanto soluçar.
Foi ontem que te calaste…
Dormiste… os olhos fechaste…
Nem me fizeste rezar!…

Sentei-me junto ao teu leito,
'Stava tão frio o teu peito,
Que eu fui o fogo atiçar.

Os Escravos

Parece que então me viste
Porque dormindo sorriste
Como uma santa no altar.

Depois o fogo apagou-se,
Tudo no quarto calou-se,
E eu também calei-me então.
Somente acesa uma vela
Triste, de cera amarela,
Tremia na escuridão.

Apenas nascera o dia,
À voz do maridedia
Saltei contente de pé.
Cantavam os passarinhos
Que fabricavam seus ninhos
No telhado de sapé.

Porém tu, por que dormias,
Por que já não me dizias
"Filha do meu coração?"
'Stavas aflita comigo?
Mãe, abracei-me contigo,
Pedi-te embalde perdão…

Chorei muito! ai triste vida!
Chorei muito, arrependida
Do que talvez fiz a ti.
Depois rezei ajoelhada
A reza da madrugada
Que tantas vezes te ouvi:

Castro Alves

"Senhor Deus, que após a noite
Mandas a luz do arrebol,
Que vestes a esfarrapada
Com o manto rico do sol,

"Tu que dás à flor o orvalho,
Às aves o céu e o ar,
Que dás as frutas ao galho,
Ao desgraçado o chorar;

"Que desfias diamantes
Em cada raio de luz,
Que espalhas flores de estrelas
Do céu nos campos azuis;

"Senhor Deus, tu que perdoas
A toda alma que chorou,
Como a clícia das lagoas,
Que a água da chuva lavou;

"Faze da alma da inocente
O ninho do teu amor,
Verte o orvalho da virtude
Na minha pequena flor.

"Que minha filha algum dia
Eu veja livre e feliz!...
"Ó Santa Virgem Maria,
Sê mãe da pobre infeliz."

Inda lembras-te! dizias,
Sempre que a reza me ouvias
Em prantos de a sufocar:

Os Escravos

"Ai! têm orvalhos as flores,
Tu, filha dos meus amores,
Tens o orvalho do chorar."

Mas hoje sempre sisuda
Me ouviste… ficaste muda,
Sorrindo não sei pra quem.
Quase então que eu tive medo…
Parecia que um segredo
Dizias baixinho a alguém.

Depois… depois… me arrastaram…
Depois… sim… te carregaram
Pra vir te esconder aqui.
Eu sozinha lá na sala…
'Stava tão triste a senzala…
Mãe, para ver-te eu fugi…

E agora, ó Deus!… se te chamo
Não me respondes!… se clamo,
Respondem-me os ventos suis…
No leito onde a rosa medra
Tu tens por lençol a pedra,
Por travesseiro uma cruz.

É muito estreito esse leito?
Que importa? abre-me teu peito
Ninho infinito de amor.
Palmeira, quero-te a sombra.
Terra, dá-me a tua alfombra.
Santo fogo, o teu calor.

Castro Alves

Mãe, minha voz já me assusta...
Alguém na floresta adusta
Repete os soluços meus.
Sacode a terra... desperta!...
Ou dá-me a mesma coberta,
Minha mãe... meu céu... meu Deus...

A VISÃO DOS MORTOS

On rapporte encore qu'un berger ayant été introduit une fois par un nain dans le Hyffhœuser, l'empereur se leva et lui demanda si les corbeaux volaient encore autour de la montagne. Et, sur la réponse affirmative du berger, il s'écria en soupirant: "il faut donc que je dorme encore pendant cent ans"!
Henri Heine (De L'allemagni)

Nas horas tristes que em neblinas densas
A terra envolta num sudário dorme,
E o vento geme na amplidão celeste
– Cúpula imensa dum sepulcro enorme –
Um grito passa despertando os ares,
Levanta as lousas invisível mão.
Os mortos saltam, poeirentos, lívidos.
Da lua pálida ao fatal clarão.

Do solo adusto do africano Saara
Surge um fantasma com soberbo passo,
Presos os braços, laureada a fronte,
Louco poeta, como fora o Tasso.
Do Sul, do Norte... do oriente irrompem
Dórias, Siqueiras e Machado então.
Vem Pedro Ivo no cavalo negro
Da lua pálida ao fatal clarão.

Castro Alves

O Tiradentes sobre o poste erguido
Lá se destaca das cerúleas telas,
Pelos cabelos a cabeça erguendo,
Que rola sangue, que espadana estrelas.
E o grande Andrada, esse arquiteto ousado,
Que amassa um povo na robusta mão:
O vento agita do tribuno a toga
Da lua pálida ao fatal clarão.

A estátua range... estremecendo move-se
O rei de bronze na deserta praça.
O povo grita: "Independência ou Morte!"
Vendo soberbo o Imperador, que passa.
Duas coroas seu cavalo pisa,
Mas duas cartas ele traz na mão.
Por guarda de honra tem dois povos livres,
Da lua pálida ao fatal clarão.

Então, no meio de um silêncio lúgubre,
Solta este grito a legião da morte:
"Onde a terra que talhamos livre,
Onde o povo que fizemos forte?
Nossas mortalhas o presente inunda
No sangue escravo, que nodoa o chão.
Anchietas, Gracos, vós dormis na orgia,
Da lua pálida ao fatal clarão.

"Brutus renega a tribunícia toga,
O apost'lo cospe no Evangelho Santo,
E o Cristo-Povo, no Calvário erguido,
Fita o futuro com sombrio espanto.
Nos ninhos d'águias que nos restam? Corvos,
Que vendo a pátria se estorcer no chão,
Passam, repassam, como alados crimes,
Da lua pálida ao fatal clarão.

Os Escravos

"Oh! é preciso inda esperar cem anos…
Cem anos…" brada a legião da morte.
E longe, aos ecos nas quebradas trêmulos,
Sacode o grito soluçando, o Norte.
Sobre os corcéis dos nevoeiros brancos
Pelo infinito a galopar lá vão…
Erguem-se as névoas como pó do espaço
Da lua pálida ao fatal clarão.

ADEUS, MEU CANTO

I

Adeus, meu canto! é a hora da partida…
O oceano do povo s'encapela.
Filho da tempestade, irmão do raio,
Lança teu grito ao vento da procela.

O inverno envolto em mantos de geada
Cresta a rosa de amor que além se erguera…
Ave de arribação, voa, anuncia
Da liberdade a santa primavera.

É preciso partir, aos horizontes
Mandar o grito errante da vedeta.
Ergue-te, ó luz! estrela para o povo,
Para os tiranos, lúgubre cometa.

Adeus, meu canto! na revolta praça
Ruge o clarim tremendo da batalha.
Águia, talvez as asas te espedacem,
Bandeira, talvez rasgue-te a metralha.

Mas não importa a ti, que no banquete
O manto sibarita não trajaste;

Os Escravos

Que se louros não tens na altiva fronte,
Também da orgia a coroa renegaste.

A ti que herdeiro duma raça livre
Tomaste o velho arnês e a cota d'armas;
E no ginete que escarvava os vales
A corneta esperaste dos alarmas.

É tempo agora pra quem sonha a glória
E a luta... e a luta, essa fatal fornalha,
Onde referve o bronze das estátuas,
Que a mão dos séc'los no futuro talha...

Parte, pois, solta livre aos quatro ventos
A alma cheia das crenças do poeta!...
Ergue-te, ó luz!, estrela para o povo,
Para os tiranos, lúgubre cometa.

Há muita virgem que ao prostíbulo impuro
A mão do algoz arrasta pela trança;
Muita cabeça d'ancião curvada,
Muito riso afogado de criança.

Dirás à virgem: "Minha irmã, espera:
Eu vejo ao longe a pomba do futuro."
"Meu pai" – dirás ao velho – "dá-me o fardo
Que atropela-te o passo mal seguro..."

A cada berço levarás a crença.
A cada campa levarás o pranto.
Nos berços nus, nas sepulturas rasas,
Irmão do pobre, viverás meu canto.

Castro Alves

E, pendido através de dois abismos,
Com os pés na terra e a fronte no infinito,
Traze a bênção de Deus ao cativeiro,
Levanta a Deus do cativeiro o grito!

II

Eu sei que, ao longe, na praça,
Ferve a onda popular,
Que às vezes é pelourinho,
Mas poucas vezes altar.
Que zombam do bardo atento,
Curvo ao murmúrio do vento
Nas florestas do existir,
Que babam fel e ironia
Sobre o ovo da utopia
Que guarda a ave do porvir.

Eu sei que o ódio, o egoísmo,
A hipocrisia, a ambição,
Almas escuras de grutas,
Onde não desce um clarão,
Peitos surdos às conquistas,
Olhos fechados às vistas,
Vistas fechadas à luz,
Do poeta solitário
Lançam pedras ao calvário,
Lançam blasfêmias à cruz.

Eu sei que a raça impudente
Do escriba, do fariseu,
Que ao Cristo eleva o patíbulo,

Os Escravos

A fogueira a Galileu,
É o fumo da chama vasta,
Sombra que o século arrasta,
Negra, torcida, a seus pés;
Tronco enraizado no inferno,
Que se arqueia, sempre, eterno,
Das idades através.

E eles dizem, reclinados
Nos festins de Baltasar:
"Que importuno é esse que canta
Lá no Eufrate a soluçar?
Prende aos ramos do salgueiro
A lira do cativeiro,
Profeta da maldição,
Ou, cingindo a augusta fronte
Com as rosas d'Anacreonte
Canta o amor e a criação!…"

Sim! cantar o campo, as selvas,
As tardes, a sombra, a luz;
Soltar su'alma com o bando
Das borboletas azuis;
Ouvir o vento que geme,
Sentir a folha que treme,
Como um seio que pulou,
Das matas entre os desvios,
Passar nos antros bravios
Por onde o jaguar passou;

É belo… E já quantas vezes
Não saudei a terra, o céu,
E o Universo, Bíblia imensa

Castro Alves

Que Deus no espaço escreveu?!
Que vezes nas cordilheiras,
Ao canto das cachoeiras,
Eu lancei minha canção,
Escutando as ventanias
Vagas, tristes profecias
Gemerem na escuridão?!...

Já também amei as flores,
As mulheres, o arrebol,
E o sino que chora triste,
Ao morno calor do sol.
Ouvi saudoso a viola,
Que ao sertanejo consola,
Junto à fogueira do lar,
Amei a linda serrana,
Cantando a mole tirana,
Pelas noites de luar.

Da infância o tempo fugindo
Tudo mudou-se em redor.
Um dia passa em minha'alma
Das cidades o rumor.
Soa a ideia, soa o malho,
O ciclope do trabalho
Prepara o raio do sol.
Tem o povo, mar violento,
Por armas, o pensamento,
A verdade por farol.

E o homem, vaga que nasce
No oceano popular,
Tem que impelir os espíritos,

Os Escravos

Tem uma plaga a buscar
Oh! maldição ao poeta
Que foge, falso profeta,
Nos dias de provação!
Que mistura o tosco iambo
Com o tírio ditirambo
Nos poemas d'aflição!…

"Trabalhar!" brada na sombra
A voz imensa, de Deus!
"Braços! voltai-vos pra terra,
Frontes voltai-vos pros céus!"
Poeta, sábio, selvagem,
Vós sois a santa equipagem
Da nau da civilização!
Marinheiro, sobe aos mastros,
Piloto, estuda nos astros,
Gajeiro, olha a cerração!"

Uivava a negra tormenta
Na enxárcia, nos mastaréus.
Uivavam nos tombadilhos,
Gritos insontes de réus.
Vi a equipagem medrosa
Da morte à vaga horrorosa
Seu próprio irmão sacudir.
E bradei: "Meu canto voa,
Terra ao longe! terra à proa!…
Vejo a terra do porvir!…"

III

Companheiro da noite maldormida
Que a mocidade vela sonhadora,
Primeira folha d'árvore da vida,
Estrela que anuncia a luz da aurora,
Da harpa do meu amor nota perdida,
Orvalho que do seio se evapora,
É tempo de partir... Voa, meu canto,
Que tantas vezes orvalhei de pranto.

Tu foste a estrela vésper que alumia
Aos pastores d'Arcádia nos fraguedos!
Ave que no meu peito se aquecia
Ao murmúrio talvez dos meus segredos.
Mas, hoje, que sinistra ventania
Muge nas selvas, ruge nos rochedos,
Condor sem rumo, errante, que esvoaça,
Deixo-te entregue ao vento da desgraça.

Quero-te assim; na terra o teu fadário
É ser o irmão do escravo que trabalha,
É chorar junto à cruz do seu calvário,
É bramir do senhor na bacanália...
Se, vivo, seguirás o itinerário,
Mas se, morto, rolares na mortalha,
Terás, selvagem filho da floresta,
Nos raios e trovões hinos de festa.

Quando a piedosa, errante caravana,
Se perde nos desertos, peregrina,
Buscando na cidade muçulmana,
Do sepulcro de Deus a vasta ruína,

Os Escravos

Olha o sol que se esconde na savana
Pensa em Jerusalém, sempre divina,
Morre feliz, deixando sobre a estrada
O marco miliário duma ossada.

Assim, quando essa turba horripilante,
Hipócrita sem fé, bacante impura,
Possa curvar-te a fronte de gigante,
Possa quebrar-te as malhas da armadura,
Tu deixarás na liça o férreo guante
Que há de colher a geração futura...
Mas, não... crê no porvir, na mocidade,
Sol brilhante do céu da liberdade.

Canta, filho da luz da zona ardente,
Destes cerros soberbos, altanados!
Emboca a tuba lúgubre, estridente,
Em que aprendeste a rebramir teus brados.
Levanta das orgias, o presente,
Levanta dos sepulcros, o passado,
Voz de ferro! desperta as almas grandes
Do Sul ao Norte... do oceano aos Andes!...

AMÉRICA

> Acorda a pátria e vê que é pesadelo
> O sonho da ignomínia que ela sonha!
> Tomás Ribeiro

À Tépida sombra das matas gigantes,
Da América ardente nos pampas do Sul,
Ao canto dos ventos nas palmas brilhantes,
À luz transparente de um céu todo azul,

A filha das matas, cabocla morena,
Se inclina indolente sonhando talvez!
A fronte nos Andes reclina serena.
E o Atlântico humilde se estende a seus pés.

As brisas dos cerros ainda lhe ondulam
Nas plumas vermelhas do arco de avós,
Lembrando o passado seus seios pululam,
Se a onça ligeira boliu nos cipós.

São vagas lembranças de um tempo que teve!...
Palpita-lhe o seio por sob uma cruz.
E em cisma dourada, qual garça de neve,
Sua alma revolve-se em ondas de luz.

Os Escravos

Embalam-lhe os sonhos, na tarde saudosa,
Os cheiros agrestes do vasto sertão,
E a triste araponga que geme chorosa
E a voz dos tropeiros em terna canção.

Se o gênio da noite no espaço flutua
Que negros mistérios a selva contém!
Se a ilha de prata, se a pálida lua
Clareia o levante, que amores não tem!

Parece que os astros são anjos pendidos
Das frouxas neblinas da abóbada azul,
Que miram, que adoram ardentes, perdidos,
A filha morena dos pampas do Sul.

Se aponta a alvorada por entre as cascatas,
Que estrelas no orvalho que a noite verteu!
As flores são aves que pousam nas matas,
As aves são flores que voam no céu!

***

Ó pátria, desperta... Não curves a fronte
Que enxuga-te os prantos o sol do Equador.
Não miras na fímbria do vasto horizonte
A luz da alvorada de um dia melhor?

Já falta bem pouco. Sacode a cadeia
Que chamam riquezas... que nódoas te são!
Não manches a folha de tua epopeia
No sangue do escravo, no imundo balcão.

CASTRO ALVES

Sê pobre, que importa? Sê livre… és gigante,
Bem como os condores dos píncaros teus!
Arranca este peso das costas do Atlante,
Levanta o madeiro dos ombros de Deus.

ANTÍTESE

O seu prêmio? O desprezo e uma carta de alforria quando tens
gastas as forças e não pode mais ganhar a subsistência.
Maciel Pinheiro

Cintila a festa nas salas!
Das serpentinas de prata
Jorram luzes em cascata
Sobre sedas e rubis.
Soa a orquestra… Como silfos
Na valsa os pares perpassam,
Sobre as flores, que se enlaçam
Dos tapetes nos coxins.

Entanto a névoa da noite
No átrio, na vasta rua,
Como um sudário flutua
Nos ombros da solidão.
E as ventanias errantes,
Pelos ermos perpassando,
Vão se ocultar soluçando
Nos antros da escuridão.

Castro Alves

Tudo é deserto… somente
À praça em meio se agita
Dúbia forma que palpita,
Se estorce em rouco estertor.
– Espécie de cão sem dono
Desprezado na agonia,
Larva da noite sombria,
Mescla de trevas e horror.

É ele o escravo maldito,
O velho desamparado,
Bem como o cedro lascado,
Bem como o cedro no chão.
Tem por leito de agonias
As lájeas do pavimento,
E como único lamento
Passa rugindo o tufão.

Chorai, orvalhos da noite,
Soluçai, ventos errantes.
Astros da noite brilhantes
Sede os círios do infeliz!
Que o cadáver insepulto,
Nas praças abandonado,
É um verbo de luz, um brado
Que a liberdade prediz.

AO ROMPER D'ALVA

> Página feia, que ao futuro narra
> Dos homens de hoje a lassidão, a história
> Com o pranto escrita, com suor selada
> Dos párias misérrimos do mundo!...
> Página feia, que eu não possa altivo
> Romper, pisar-te, recalcar, punir-te...
> Pedro Calasans

Sigo só caminhando serra acima,
E meu cavalo a galopar se anima
    Aos bafos da manhã.
A alvorada se eleva do levante,
E, ao mirar na lagoa seu semblante,
    Julga ver sua irmã.

As estrelas fugindo, aos nenúfares,
Mandam rútilas pérolas dos ares
    De um desfeito colar.
No horizonte desvendam-se as colinas,
Sacode o véu de sonhos de neblinas
    A terra ao despertar.

Castro Alves

Tudo é luz, tudo aroma e murmúrio,
A barba branca da cascata o rio
    Faz orando tremer.
No descampado o cedro curva a frente,
Folhas e prece aos pés do Onipotente
    Manda a lufada erguer.

Terra de Santa Cruz, sublime verso
Da epopeia gigante do Universo,
    Da imensa Criação.
Com tuas matas, ciclopes de verdura,
Onde o jaguar, que passa na espessura,
    Roja as folhas no chão;

Como és bela, soberba, livre, ousada!
Em tuas cordilheiras assentada
    A liberdade está.
A púrpura da bruma, a ventania
Rasga, espedaça o cetro que s'erguia
    Do rijo piquiá.

Livre o tropeiro toca o lote e canta
A lânguida cantiga com que espanta
    A saudade, a aflição.
Solto o ponche, o cigarro fumegando
Lembra a serrana bela, que chorando
    Deixou lá no sertão.

Livre, como o tufão, corre o vaqueiro
Pelos morros e várzea e tabuleiro
    Do intrincado cipó.
Que importa'os dedos da jurema aduncos?
A anta, ao vê-los, oculta-se nos juncos,
    Voa a nuvem de pó.

Os Escravos

Dentre a flor amarela das encostas
Mostra a testa luzida, as largas costas
    No rio o jacaré.
Catadupas sem freios, vastas, grandes,
Sois a palavra livre desses Andes
    Que além surgem de pé.

Mas o que vejo? É um sonho!... A barbaria
Erguer-se neste séc'lo, à luz do dia.
    Sem pejo se ostentar.
E a escravidão, nojento crocodilo
Da onda turva expulso lá do Nilo,
    Vir aqui se abrigar!...

Oh! Deus! não ouves dentre a imensa orquestra
Que a natureza virgem manda em festa
    Soberba, senhoril,
Um grito que soluça aflito, vivo,
O retinir dos ferros do cativo,
    Um som discorde e vil?

Senhor, não deixes que se manche a tela
Onde traçaste a criação mais bela
    De tua inspiração.
O sol de tua glória foi toldado...
Teu poema da América manchado,
    Manchou-o a escravidão.

Prantos de sangue, vagas escarlates,
Toldam teus rios, lúbricos Eufrates,
    Dos servos de Sião.
E as palmeiras se torcem torturadas,
Quando escutam dos morros nas quebradas
    O grito de aflição.

Castro Alves

Oh! ver não posso este labéu maldito!
Quando dos livres ouvirei o grito?
    Sim... talvez amanhã.
Galopa, meu cavalo, serra acima!
Arranca-me a este solo. Eia! te anima
    Aos bafos da manhã!

BANDIDO NEGRO

> Corre, corre, sangue do cativo
> Cai, cai, orvalho de sangue
> Germina, cresce, colheita vingadora
> A ti, segador a ti. Está madura.
> Aguça tua foice, aguça, aguça tua foice.
> Eugène Sue (Canto dos filhos de Agar)

Trema a terra de susto aterrada...
Minha égua veloz, desgrenhada,
Negra, escura nas lapas voou.
Trema o céu... ó ruína! ó desgraça!
Porque o negro bandido é quem passa,
Porque o negro bandido bradou:

Cai, orvalho de sangue do escravo,
Cai, orvalho, na face do algoz.
Cresce, cresce, seara vermelha,
Cresce, cresce, vingança feroz.

Dorme o raio na negra tormenta...
Somos negros... o raio fermenta
Nesses peitos cobertos de horror.
Lança o grito da livre coorte,

Castro Alves

Lança, ó vento, pampeiro de morte,
Este guante de ferro ao senhor.

Cai, orvalho de sangue do escravo,
Cai, orvalho, na face do algoz.
Cresce, cresce, seara vermelha,
Cresce, cresce, vingança feroz.

Eia! ó raça que nunca te assombras!
Pra o guerreiro uma tenda de sombras
Arma a noite na vasta amplidão.
Sus! pulula dos quatro horizontes,
Sai da vasta cratera dos montes,
Donde salta o condor, o vulcão.

Cai, orvalho de sangue do escravo,
Cai, orvalho, na face do algoz.
Cresce, cresce, seara vermelha,
Cresce, cresce, vingança feroz.

E o senhor que na festa descanta
Pare o braço que a taça alevanta,
Coroada de flores azuis.
E murmure, julgando-se em sonhos:
"Que demônios são estes medonhos,
Que lá passam famintos e nus?"

Cai, orvalho de sangue do escravo,
Cai, orvalho, na face do algoz.
Cresce, cresce, seara vermelha,
Cresce, cresce, vingança feroz.

Os Escravos

Somos nós, meu senhor, mas não tremas,
Nós quebramos as nossas algemas
Pra pedir-te as esposas ou mães.
Este é o filho do ancião que mataste.
Este, irmão da mulher que manchaste...
Oh! não tremas, senhor, são teus cães.

Cai, orvalho de sangue do escravo,
Cai, orvalho, na face do algoz.
Cresce, cresce, seara vermelha,
Cresce, cresce, vingança feroz...

São teus cães, que têm frio e têm fome,
Que há dez séc'los a sede consome...
Quero um vasto banquete feroz...
Venha o manto que os ombros nos cubra.
Para vós fez-se a púrpura rubra,
Fez-se a manto de sangue pra nós.

Cai, orvalho de sangue do escravo,
Cai, orvalho, na face do algoz.
Cresce, cresce, seara vermelha,
Cresce, cresce, vingança feroz.

Meus leões africanos, alerta!
Vela a noite... a campina é deserta.
Quando a lua esconder seu clarão
Seja o bramo da vida arrancado
No banquete da morte lançado
Junto ao corvo, seu lúgubre irmão.

Castro Alves

Cai, orvalho de sangue do escravo,
Cai, orvalho, na face do algoz.
Cresce, cresce, seara vermelha,
Cresce, cresce, vingança feroz.

Trema o vale, o rochedo escarpado,
Trema o céu de trovões carregado,
Ao passar da rajada de heróis,
Que nas éguas fatais desgrenhadas
Vão brandindo essas brancas espadas,
Que se amolam nas campas de avós.

Cai, orvalho de sangue do escravo,
Cai, orvalho, na face do algoz.
Cresce, cresce, seara vermelha,
Cresce, cresce, vingança feroz

CANÇÃO DO VIOLEIRO

    Passa, ó vento das campinas,
    Leva a canção do tropeiro.
    Meu coração está deserto,
    'Stá deserto o mundo inteiro.
    Quem viu a minha senhora
    Dona do meu coração?

        Chora, chora na viola,
        Violeiro do sertão.

Ela foi-se ao pôr da tarde
Como as gaivotas do rio.
Como os orvalhos que sobem
Da noite num beijo frio,
O cauã canta bem triste,
Mais triste é meu coração.

        Chora, chora na viola,
        Violeiro do sertão.

E eu disse: a senhora volta
Com as flores da sapucaia.
Veio o tempo, trouxe as flores,
Foi o tempo, a flor desmaia.

Castro Alves

Colhereira, que além voas,
Onde está meu coração?

    Chora, chora na viola,
    Violeiro do sertão.

Não quero mais esta vida,
Não quero mais esta terra.
Vou procurá-la bem longe,
Lá para as bandas da serra.
Ai! triste que eu sou escravo!
Que vale ter coração?

    Chora, chora na viola,
    Violeiro do sertão.

CONFIDÊNCIA

Maldição sobre vós, doutores da lei! maldição sobre vós, hipócritas! assemelhais-vos aos sepulcros brancos por fora; o exterior parece formoso, mas o interior está cheio de ossos e podridão.
Evangelho de São Mateus (capítulo 23, versículo 27)

Quando, Maria, vês de minha fronte
Negra ideia voando no horizonte,
    As asas desdobrar,
Triste segues então meu pensamento,
Como fita o barqueiro de Sorrento
    As nuvens ao luar.

E tu me dizes, pálida inocente,
Derramando uma lágrima tremente,
    Como orvalho de dor:
"Por que sofres? A selva tem odores,
O céu tem astros, os vergéis têm flores,
    Nossas almas o amor."

Castro Alves

Ai! tu vês nos teus sonhos de criança
A ave de amor que o ramo da esperança
    Traz no bico a voar;
E eu vejo um negro abutre que esvoaça,
Que co'as garras a púrpura espedaça
    Do manto popular.

Tu vês na onda a flor azul dos campos,
Donde os astros, errantes pirilampos,
    Se elevam para os céus;
E eu vejo a noite borbulhar das vagas
E a consciência é quem me aponta as plagas
    Voltada para Deus.

Tua alma é como as veigas sorrentinas
Onde passam gemendo as cavatinas
    Cantadas ao luar.
A minha, eco do grito, que soluça,
Grito de toda dor que se debruça
    Do lábio a soluçar.

É que eu escuto o sussurrar de ideias,
O marulho talvez das epopeias,
    Em torno aos mausoléus,
E me curvo no túm'lo das idades
Crânios de pedra, cheios de verdades
    E da sombra de Deus.

E nessas horas julgo que o passado
Dos túmulos a meio levantado
    Me diz na solidão:
"Que és tu, poeta? A lâmpada da orgia,
Ou a estrela de luz, que os povos guia
    À nova redenção?"

Os Escravos

Ó Maria, mal sabes o fadário
Que o moço bardo arrasta solitário
    Na impotência da dor
Quando vê que debalde à liberdade
Abriu sua alma, urna da verdade
    Da esperança e do amor!...

Quando vê que uma lúgubre coorte
Contra a estátua (sagrada pela morte)
    Do grande imperador,
Hipócrita, amotina a populaça,
Que morde o bronze, como um cão de caça
    No seu louco furor!...

Sem poder esmagar a iniquidade
Que tem na boca sempre a liberdade,
    Nada no coração;
Que ri da dor cruel de mil escravos,
Hiena, que do túmulo dos bravos,
    Morde a reputação!...

Sim... quando vejo, ó Deus, que o sacerdote
As espáduas fustiga com o chicote
    Ao cativo infeliz;
Que o pescador das almas já se esquece
Das santas pescarias e adormece
    Junto da meretriz...

Que o apóstolo, o símplice romeiro,
Sem bolsa, sem sandálias, sem dinheiro,
    Pobre como Jesus,
Que mendigava outrora à caridade
Pagando o pão com o pão da eternidade,
    Pagando o amor com a luz,

Agora adota a escravidão por filha,
Amolando nas páginas da Bíblia
    O cutelo do algoz...
Sinto não ter um raio em cada verso
Para escrever na fronte do perverso:
    "Maldição sobre vós!"

Maldição sobre vós, tribuno falso!
Rei, que julgais que o negro cadafalso
    É dos tronos irmão!
Bardo, que a lira prostituis na orgia,
Eunuco incensador da tirania,
    Sobre ti maldição!

Maldição sobre ti, rico devasso,
Que da música ao lânguido compasso,
    Embriagado não vês
A criança faminta que na rua
Abraça u'a mulher pálida e nua,
    Tua amante... talvez!...

Maldição?!... Mas que importa?... Ela espedaça
Acaso a flor olente que se enlaça
    Nas c'roas festivais?
Nodoa a veste rica ao sibarita?
Que importam cantos, se é mais alta a grita
    Das ricas bacanais?

Oh! por isso, Maria, vês, me curvo
Na face do presente escuro e turvo
    E interrogo o porvir;
Ou levantando a voz por sobre os montes,
"Liberdade", pergunto aos horizontes,
    Quando enfim hás de vir?"

Os Escravos

Por isso, quando vês as noites belas,
Onde voa a poeira das estrelas
    E das constelações,
Eu fito o abismo que a meus pés fermenta,
E onde, como santelmos da tormenta,
    Fulgem revoluções!...

ESTROFES DO SOLITÁRIO

Basta de covardia! a hora soa...
Voz ignota e fatídica ressoa,
    Que vem... Donde? De Deus.
A nova geração rompe da terra,
E, qual Minerva armada para a guerra,
    Pega a espada... olha os céus.

Sim, de longe, das raias do futuro,
Parte um grito, pra os homens surdo, obscuro
    Mas para os moços, não!
É que, em meio das lutas da cidade,
Não ouvis o clarim da Eternidade,
    Que troa n'amplidão!

Quando as praias se ocultam na neblina,
E como a garça, abrindo a asa latina,
    Corre a barca no mar,
Se então sem freios se despenha o Norte,
É impossível parar... volver é morte
    Só lhe resta marchar.

E o povo é como a barca em plenas vagas,
A tirania é o tremedal das plagas,
    O porvir, a amplidão.

Os Escravos

Homens! Esta lufada que rebenta
É o furor da mais lôbrega tormenta.
    Ruge a revolução.

E vós cruzais os braços… Covardia!
E murmurais com fera hipocrisia:
    "É preciso esperar…"
Esperar? Mas o quê? Que a populaça,
Este vento que os tronos despedaça,
    Venha abismos cavar?

Ou quereis, como o sátrapa arrogante,
Que o porvir, n'antessala, espere o instante
    Em que o deixeis subir?!
Oh! parai a avalanche, o sol, os ventos,
O oceano, o condor, os elementos…
    Porém nunca o porvir!

Meu Deus! Da negra lenda que se escreve
Co'o sangue de um Luís, no chão da Grève,
    Não resta mais um som!…
Em vão nos deste, pra maior lembrança,
Do mundo, a Europa, mas d'Europa, a França
    Mas da França, um Bourbon!

Desvario das frontes coroadas!
Na página das púrpuras rasgadas
    Ninguém mais estudou!
E no sulco do tempo, embalde dorme
A cabeça dos reis, semente enorme
    Que a multidão plantou!…

Castro Alves

No entanto fora belo nesta idade
Desfraldar o estandarte da igualdade,
    De Byron ser irmão...
E pródigo, a esta Grécia brasileira,
Legar no testamento uma bandeira,
    E ao mundo, uma nação.

Soltar ao vento a inspiração de Graco
Envolver-se no manto de 'Spartaco,
    Dos servos entre a grei;
Lincoln, o Lázaro acordar de novo,
E da tumba da infâmia erguer um povo,
    Fazer de um verme, um rei!

Depois morrer... que a vida está completa,
Rei ou tribuno, César ou poeta,
    Que mais quereis depois?
Basta escutar, do fundo lá da cova,
Dançar em vossa lousa a raça nova
    Libertada por vós...

FÁBULA

O pássaro e a flor

Era num dia sombrio
Quando um pássaro erradio
Veio parar num jardim.
Aí fitando uma rosa,
Sua voz triste e saudosa,
Pôs-se a improvisar assim.

"Ó Rosa, ó Rosa bonita!
Ó Sultana favorita
Deste serralho de azul:
Flor que vives num palácio,
Como as princesas de Lácio,
Como as filhas de 'Stambul.

"Como és feliz! quanto eu dera
Pela eterna primavera
Que o teu castelo contém…
Sob o cristal abrigada,
Tu nem sentes a geada
Que passa raivosa além.

Castro Alves

"Junto às estátuas de pedra
Tua vida cresce, medra,
Ao fumo dos narguilés,
No largo vaso da China
Da porcelana mais fina
Que vem do Império Chinês.

"O inverno ladra na rua,
Enquanto adormeces nua
Na estufa até de manhã.
Por escrava tens a aragem
O sol é teu louro pajem
Tu és dele, a castelã.

"Enquanto que eu, desgraçado,
Pelas chuvas ensopado,
Levo o tempo a viajar,
Boêmio da média idade,
Vou do castelo à cidade,
Vou do mosteiro ao solar!

"Meu capote roto e pobre
Mal os meus ombros encobre
Quanto à gorra… tu bem vês!…
Ai! meu Deus! se Rosa fora
Como eu zombaria agora
Dos louros dos menestréis!…"

***

Então por entre a folhagem
Ao passarinho selvagem
A rosa assim respondeu:

Os Escravos

"Cala-te, bardo dos bosques!
Ai! não troques os quiosques
Pela cúpula do céu.

"Tu não sabes que delírios
Sofrem as rosas e os lírios
Nesta dourada prisão
Sem falar com as violetas.
Sem beijar as borboletas,
Sem as auras do sertão.

"Molha-te a fria geada...
Que importa? A loura alvorada
Virá beijar-te amanhã.
Poeta, romperás logo,
A cada beijo de fogo,
Na cantilena louçã.

"Mas eu?! Nas salas brilhantes
Entre as tranças deslumbrantes
A virgem me enlaçará
Depois... cadáver de rosa...
A valsa vertiginosa
Por sobre mim rolará.

"Vai, Poeta... Rompe os ares
Cruza a serra, o vale, os mares
Deus ao chão não te amarrou!
Eu calo-me, tu descansas,
Eu rojo, tu te levantas,
Tu és livre, escrava eu sou!..."

FRADES

Mel in ore, verba lactis,
Fel in corde, fraus in factis.
Provérbio latino

Mas a mão que assim tece o linho aos pés da Glória?
Como Hércules também esmaga a hidra...
E depois de aspergir o túm'lo dos heróis
Pega de Juvenal na vergasta feroz
E os monges hodiernos açoita sem piedade
Como o Divino Mestre o fez na antiguidade!...

JESUÍTAS E FRADES

Que o mundo antigo s'erga e lance a maldição
Sobre vós... remembrando a negra Inquisição,
A hidra escura e vil da vil Teocracia,
O Santo Ofício, as provas, o azeite, a gemonia...
Lisboa, Tours, Sevilha e Nantes na tortura,
Na fogueira Grandier, João Huss na sepultura,
Colombo a soluçar, a gemer Galileu...
De mil autos de fé o fumo enchendo o céu...
Que a maldição vos lance a pena do Gaulês
Tendo por tinta a borra das caldeiras de pez...
Que o Germano a sangrar maldiz em férreos hinos.

É justo!...

A História cega, aquentando o estilete
Nas brasas que apagar não pôde o Guadalete,
Tem jus de vos marcar com o ferro do labéu,
Como queima o carrasco o ombro nu do réu...

Mas enquanto existir o grande, o novo mundo,
Ó Filhos de Jesus!... um cântico profundo
Irá vos embalar do sepulcro no solo...
A América por vós reza de polo a polo!
Dizei-o, vós, dizei, Tamoios, Guaranis,
Iroqueses, Tapuias, Incas, e Tupis...

A santa abnegação, o heroísmo, a doçura,
O amor paternal, a castidade pura
Destes homens que vinham, envoltos no burel,
A derramar dos lábios o amor, divino mel,
O perdão, óleo santo; a fé, mística luz,
E o Deus da caridade, o pródigo Jesus!...

Oh! não! mil vezes não! o poeta americano
Vos deve sepultar no verso soberano
Pano negro que tem por lágrimas de prata
As lágrimas que a Musa inspirada desata!!!

Se aqui houve cativos, eles os libertaram.
Se aqui houve selvagens, eles os educaram.
Se aqui houve fogueiras, eles nelas sofreram.
Se lá carrascos foram, cá mártires morreram.
Em vez do Inquisidor, tivemos a vedeta.
Loiola, aqui foi Nóbrega; Arbues, foi Anchieta!

Oh! não! mil vezes não! O poeta Americano
Vos deve amortalhar no verso soberano
Pano negro que tem por lágrimas de prata
As lágrimas que a musa inspirada desata!...

LÚCIA

Poema

Na formosa estação da primavera,
Quando o mato se arreia mais festivo,
E o vento campesino bebe ardente
O agreste aroma da floresta virgem,
Eu e Lúcia, corríamos, crianças,
Na veiga, no pomar, na cachoeira,
Como um casal de colibris travessos
Nas laranjeiras que o Natal enflora.

Ela era a cria mais formosa e meiga
Que jamais, na fazenda, vira o dia...
Morena, esbelta, airosa... eu me lembrava
Sempre da corça arisca dos silvados
Quando via-lhe os olhos negros, negros,
Como as plumas noturnas da graúna,

Depois... quem mais mimosa e mais alegre?...
Sua boca era um pássaro escarlate
Onde cantava festival sorriso.
Os cabelos caíam-lhe anelados
Como doudos festões de parasitas...
E a graça... o modo... o coração tão meigo?...

Castro Alves

Ai! Pobre Lúcia... como tu sabias,
Festiva, encher de afagos a família,
Que te queria tanto e que te amava
Como se fosses filha e não cativa!

Tu eras a alegria da fazenda;
Tua senhora ria-se, contente,
Quando enlaçavas seus cabelos brancos
Co'as roxas maravilhas da campina.
E quando à noite todos se juntavam,
Aos reflexos doirados da candeia,
Na grande sala em torno da fogueira,
Então, Lúcia, sorrindo, murmurava:
"Meu Deus! um beija-flor fez-se criança...
Uma criança fez-se mariposa!"

Mas um dia a miséria, a fome, o frio,
Foram pedir um pouso nos teus lares...
A mesa era pequena... Pobre Lúcia!
Foi preciso te ergueres do banquete
Deixares teu lugar aos mais convivas...

Eu me lembro... eu me lembro... O sol raiava.
Tudo era festa em volta da pousada,
Cantava o galo, alegre, no terreiro,
O mugido das vacas misturava-se
Ao relincho das éguas, que corriam,
De crinas soltas pelo campo aberto
Aspirando o frescor da madrugada.

Pela última vez ela chorando
Veio sentar-se ao banco do terreiro...
Pobre criança! que conversas tristes
Tu conversaste, então, co'a natureza?

Os Escravos

"Adeus! pra sempre, adeus, ó meus amigos,
Passarinhos do céu, brisas da mata,
Patativas saudosas dos coqueiros,
Ventos da várzea, fontes do deserto!...
Nunca mais eu virei, risonha e louca,
Vos arrancar das moitas perfumadas,
Nunca mais eu virei, risonha e louca,
Roubar o ninho do sabiá choroso...
Perdoai-me que eu parto para sempre
Venderam para longe a pobre Lúcia!"

Então ela apanhou do mato as flores
Como outrora enlaçou-as nos cabelos,
E, rindo de chorar, disse em soluços:
"Não te esqueças de mim que te amo tanto..."

***

Depois além, um grupo informe e vago,
Que cavalgava o dorso da montanha,
Ia esconder-se, transmontando o topo...
Neste momento eu vi, longe... bem longe,
Ainda se agitar um lenço branco...
Era o lencinho trêmulo de Lúcia...

Epílogo

Muitos anos correram depois disto...
Um dia, nos sertões, eu caminhava
Por uma estrada agreste e solitária;
Diante de mim uma mulher seguia,
Co' o cântaro à cabeça, os pés descalços,
Co'os ombros nus, mas pálidos e magros...

Castro Alves

Ela cantava, com uma voz extinta,
Uma cantiga triste e compassada...
E eu, que a escutava, procurava, embalde,
Uma lembrança juvenil e alegre,
Do tempo em que aprendera aqueles versos...
De repente, lembrei-me... "Lúcia! Lúcia!"
... A mulher se voltou... fitou-me pasma,
Soltou um grito... e, rindo e soluçando,
Quis para mim lançar-se, abrindo os braços.
... Mas, súbito, estacou... Nuvem de sangue
Corou-lhe o rosto pálido, sombrio...
Cobriu co'a mão crispada a face rubra,
Como escondendo uma vergonha eterna...

Depois, soltando um grito, ela sumiu-se
Entre as sombras da mata... a pobre Lúcia!

MANUELA

Cantiga do rancho

Companheiros! já na serra
 Erra.
A tropa inteira a pastar...
Tropeiros!... junto à candeia
 Eia!
Soltemos nosso trovar...

Té que as barras do Oriente
 Rente
Saiam dos montes de lá...
Cada qual sua cantiga
 Diga
Aos ecos do Sincorá.

No rancho as noites se escoam.
 Voam,
Quando geme o trovador...
Ouvi, pois! que esta guitarra...
 Narra
O meu romance de amor.

***

Castro Alves

Manuela era formosa
    Rosa,
Rosa aberta no sertão...
Com seu torço adamascado
    Dado
Ao sopro da viração.

Provocante, mas esquiva,
    Viva
Como um doido beija-flor...
Manuela, a moreninha,
    Tinha
Em cada peito um amor...

Inda agora quando o vento
    Lento
Traz-me saudades de então
Parece que a vejo ainda
    Linda
Do fado no turbilhão

Vejo-lhe o pé resvalando
    Brando
No fandango a delirar.
Inda ao som das castanholas
    Rolas
Diante do meu olhar...

Manuela... mesmo agora
    Chora
Minh'alma pensando em ti...
E na viola relembro
    Lembro
Tiranas que então gemi.

Os Escravos

"Manuela, Manuela
    Bela
Como tu ninguém luziu…
Minha travessa morena,
    Pena
Pena tem de quem te viu!…"

"Manuela… eu não perjuro!
    Juro
Pela luz dos olhos teus…
Morrer por ti Manuela
    Bela,
Se esqueces os sonhos meus.

"Por teus sombrios olhares,
    Mares
Onde eu me afogo de amor…
Pelas tranças que desatas,
    Matas
Cheias de aroma e frescor…

"Pelos peitos que entre rendas
    Vendas
Com medo que os vão roubar…
Pela perna que no frio
    Rio
Pude outro dia enxergar…

"Por tudo que tem a terra,
    Serra,
Mato, rio, campo e céu…
Eu te juro, Manuela,
    Bela
Que serei cativo teu…

Castro Alves

"Tu bem sabes que Maria,
     Fria
É pra outros, não pra mim…
Que morrem Lúcia, Joana
     E Ana
Aos sons do meu bandolim…

"Mas tu és um passarinho,
     Ninho
Fizeste no peito meu…
Eu sou a boca, és o canto,
     Tanto
Que sem ti não canto eu.

"Vamos pois a noite cresce
     Desce
A lua a beijar a flor
À sombra dos arvoredos
     Ledos
Os ventos choram de amor

"Vamos pois ó moreninha
     Minha
Minha esposa ali serás
Ao vale a relva tapiza
     Pisa
Serão teus Paços-reais!

"Por padre uma árvore vasta
     Basta!
Por igreja, o azul do céu…
Serão as brancas estrelas,
     Velas,
Acesas pra o himeneu".

Os Escravos

***

Assim nos tempos perdidos
      Idos
Eu cantava... mas em vão...
Manuela, que me ouvia,
      Ria,
Casta flor da solidão!

Companheiros! se inda agora
      Chora
Minha viola a gemer,
É porque um dia... Escutai-me
      Dai-me
Sim! dai-me antes que beber!...

É que um dia... mas bebamos
      Vamos
No copo afogue-se a dor!...
Manuela, Manuela,
      Bela,
Fez-se amante do senhor!...

MATER DOLOROSA

> Deixa-me murmurar à tua alma um adeus eterno, em vez de lágrimas, chorar sangue, chorar o sangue de meu coração sobre meu filho; porque tu deves morrer, meu filho, tu deves morrer.
> Nathaniel Lee

Meu filho, dorme, dorme o sono eterno
No berço imenso, que se chama o céu.
Pede às estrelas um olhar materno,
Um seio quente, como o seio meu.

Ai! borboleta, na gentil crisálida,
As asas de ouro vais além abrir.
Ai! rosa branca no matiz tão pálida,
Longe, tão longe vais de mim florir.

Meu filho, dorme… Como ruge o Norte
Nas folhas secas do sombrio chão!…
Folha dest'alma como dar-te à sorte?…
É tredo, horrível o feral tufão!

Não me maldigas… Num amor sem termo
Bebi a força de matar-te… a mim…
Viva eu cativa a soluçar num ermo…
Filho, sê livre… Sou feliz assim…

Os Escravos

Ave, te espera da lufada o açoite,
Estrela, guia-te uma luz falaz.
Aurora minha, só te aguarda a noite,
Pobre inocente, já maldito estás.

Perdão, meu filho... se matar-te é crime...
Deus me perdoa... me perdoa já.
A fera enchente quebraria o vime...
Velem-te os anjos e te cuidem lá.

Meu filho dorme... dorme o sono eterno
No berço imenso, que se chama o céu.
Pede às estrelas um olhar materno,
Um seio quente, como o seio meu.

O CANTO DE BUG-JARGAL

(Traduzido de Victor Hugo)

Por que foges de mim? Por que, Maria?
E gelas-te de medo, se me escutas?
Ah! sou bem formidável na verdade,
Sei ter amor, ter dores e ter cantos!
Quando, através das palmas dos coqueiros
Tua forma desliza aérea e pura,
Ó Maria, meus olhos se deslumbram,
Julgo ver um espírito que passa.
E se escuto os acentos encantados,
Que em melodia escapam de teus lábios,
Meu coração palpita em meu ouvido
Misturando um queixoso murmúrio
De tua voz à lânguida harmonia.
Ai! tua voz é mais doce do que o canto
Das aves que no céu vibram as asas,
E que vem no horizonte lá da pátria.
Da pátria onde era rei, onde era livre!
Rei e livre, Maria! e esqueceria
Tudo por ti... esqueceria tudo,
A família, o dever, reino e vingança.
Sim, até a vingança!... ainda que cedo

Os Escravos

Tenha enfim de colher este acre fruto,
Acre e doce que tarde amadurece.

***

Ó Maria, pareces a palmeira
Bela, esbelta, embalada pelas auras.
E te miras no olhar de teu amante
Como a palmeira n'água transparente.
Porém... sabes? Às vezes há no fundo
Do deserto o uragã que tem ciúmes
Da fonte amada... e arroja-se e galopa.
O ar e a areia misturando turvos
Sob o voo pesado de suas asas.
Num turbilhão de fogo, árvore e fonte
Envolve... e seca a límpida vertente,
Sente a palmeira a um hálito de morte
Crespar-se o verde círc'lo da folhagem,
Que tinha a majestade de uma c'roa
E a graça de uma solta cabeleira.

***

Oh! treme, branca filha de Espanhola,
Treme, breve talvez tenhas em torno
O uragã e o deserto. Então, Maria,
Lamentarás o amor que hoje pudera
Te conduzir a mim, bem como o kata,
Da salvação o pássaro ditoso,
Através das areias africanas
Guia o viajante lânguido à cisterna.
E por que enjeitas meu amor? Escuta:
Eu sou rei, minha fronte se levanta

Sobre as frontes de todos. Ó Maria,
Eu sei que és branca e eu negro, mas precisa
O dia unir-se à noite feia, escura,
Para criar as tardes e as auroras,
Mais belas do que a luz, mais do que as trevas!

O DERRADEIRO AMOR
DE BYRON

Ét, puisque tôt ou tard l'amour humain s'oublie,
Il est d'une grande âme et d'un heureux destin
D'expirer comme toi pour un amour divin!
Alfred de Musset (A la Malibran)

I

Num desses dias em que o Lord errante
Resvalando em coxins de seda mole...
A laureada e pálida cabeça
Sentia-lhe embalar essa condessa,
Essa lânguida e bela Guiccioli...

II

Nesse tempo feliz... em que Ravena
Via cruzar o Child peregrino,
Dos templos ermos pelo claustro frio...
Ou longas horas meditar sombrio
No túmulo de Dante, o Gibelino...

III

Quando aquela mão régia de Madona
Tomava aos ombros essa cruz insana…
E do Giaour o lúgubre segredo,
E esse crime indizível do Manfredo
Madornavam aos pés da Italiana…

IV

Numa dessas manhãs… enquanto a moça
Sorrindo-lhe dos beijos ao ressábio,
Cantava como uma ave ou uma criança…
Ela sentiu que um riso de esperança
Abria-lhe do amante lábio a lábio.

V

A esperança! A esperança no precito!
A esperança nesta alma agonizante!
E, mais lívida e branca do que a cera,
Ela disse a tremer: – "George, eu quisera
Saber qual seja… a vossa nova amante".

VI

– "Como o sabes?…" – "Confessas?" – "Sim! confesso…"
– "E o seu nome…" – "Qu'importa?" – "Fala alteza!…"
– "Que chama doida teu olhar espalha,
És ciumenta?…" – "Milord, eu sou de Itália!"
– "Vingativa?…" – "Milord, eu sou princesa!…"

VII

– "Queres saber então qual seja o arcanjo
Que inda vem m'enlevar o ser corruto?
O sonho que os cadáveres renova,
O amor que o Lázaro arrancou da cova,
O ideal de Satã?..." – "Eu vos escuto!"

VIII

– "Olhai, Signora... além dessas cortinas,
O que vedes?..." – "Eu vejo a imensidade!..."
– "E eu vejo a Grécia... e sobre a plaga errante
Uma virgem chorando..." – "É vossa amante?..."
– "Tu disseste-o, condessa! É a Liberdade!!!..."

O NAVIO NEGREIRO

Tragédia no mar

I

'Stamos em pleno mar… Doido no espaço
Brinca o luar, dourada borboleta;
E as vagas após ele correm… cansam
Como turba de infantes inquieta.

'Stamos em pleno mar… Do firmamento
Os astros saltam como espumas de ouro…
O mar em troca acende as ardentias,
Constelações do líquido tesouro…

'Stamos em pleno mar… Dois infinitos
Ali se estreitam num abraço insano,
Azuis, dourados, plácidos, sublimes…
Qual dos dois é o céu? Qual o oceano?…

'Stamos em pleno mar… Abrindo as velas
Ao quente arfar das virações marinhas,
Veleiro brigue corre à flor dos mares,
Como roçam na vaga as andorinhas…

Os Escravos

Donde vem? Aonde vai? Das naus errantes
Quem sabe o rumo se é tão grande o espaço?
Neste Saara os corcéis o pó levantam,
Galopam, voam, mas não deixam traço.

Bem feliz quem ali pode nest'hora
Sentir deste painel a majestade!...
Embaixo, o mar... em cima, o firmamento...
E no mar e no céu, a imensidade!

Oh! que doce harmonia traz-me a brisa!
Que música suave ao longe soa!
Meu Deus! como é sublime um canto ardente
Pelas vagas sem fim boiando à toa!

Homens do mar! oh rudes marinheiros,
Tostados pelo sol dos quatro mundos!
Crianças que a procela acalentara
No berço destes pélagos profundos!

Esperai!... esperai!... deixai que eu beba
Esta selvagem, livre poesia...
Orquestra, é o mar, que ruge pela proa,
E o vento, que nas cordas assobia...

***

Por que foges assim, barco ligeiro?
Por que foges do pávido poeta?
Oh! quem me dera acompanhar-te a esteira
Que semelha no mar, doudo cometa!

Albatroz! Albatroz! águia do oceano,
Tu que dormes das nuvens entre as gazas,
Sacode as penas, Leviathan do espaço,
Albatroz! Albatroz! dá-me estas asas.

II

Que importa do nauta o berço,
Donde é filho, qual seu lar?
Ama a cadência do verso
Que lhe ensina o velho mar!
Cantai! que a morte é divina!
Resvala o brigue à bolina
Como golfinho veloz.
Presa ao mastro da mezena
Saudosa bandeira acena
As vagas que deixa após.

Do Espanhol as cantilenas
Requebradas de langor,
Lembram as moças morenas,
As andaluzas em flor!
Da Itália o filho indolente
Canta Veneza dormente,
Terra de amor e traição,
Ou do golfo no regaço
Relembra os versos de Tasso,
Junto às lavas do vulcão!

Os Escravos

O Inglês, marinheiro frio,
Que ao nascer no mar se achou,
(Porque a Inglaterra é um navio,
Que Deus na Mancha ancorou),
Rijo entoa pátrias glórias,
Lembrando, orgulhoso, histórias
De Nelson e de Aboukir...
O Francês, predestinado,
Canta os louros do passado
E os loureiros do porvir!

Os marinheiros Helenos,
Que a vaga jônia criou,
Belos piratas morenos
Do mar que Ulisses cortou,
Homens que Fídias talhara,
Vão cantando em noite clara
Versos que Homero gemeu...
Nautas de todas as plagas,
Vós sabeis achar nas vagas
As melodias do céu!...

III

Desce do espaço imenso, ó águia do oceano!
Desce mais... inda mais... não pode olhar humano
Como o teu mergulhar no brigue voador!
Mas que vejo eu aí... Que quadro d'amarguras!
É canto funeral!... Que tétricas figuras!...
Que cena infame e vil... Meu Deus! meu Deus! que horror!

IV

Era um sonho dantesco... o tombadilho
Que das luzernas avermelha o brilho.
    Em sangue a se banhar.
Tinir de ferros... estalar de açoite...
Legiões de homens negros como a noite,
    Horrendos a dançar...

Negras mulheres, suspendendo às tetas
Magras crianças, cujas bocas pretas
    Rega o sangue das mães:
Outras moças, mas nuas e espantadas,
No turbilhão de espectros arrastadas,
    Em ânsia e mágoa vãs!

E ri-se a orquestra irônica, estridente...
E da ronda fantástica a serpente
    Faz doidas espirais...
Se o velho arqueja, se no chão resvala,
Ouvem-se gritos... o chicote estala.
    E voam mais e mais...

Presa nos elos de uma só cadeia,
A multidão faminta cambaleia,
    E chora e dança ali!
Um de raiva delira, outro enlouquece,
Outro, que martírios embrutece,
    Cantando, geme e ri!

No entanto o capitão manda a manobra,
E após fitando o céu que se desdobra,
    Tão puro sobre o mar,

Os Escravos

Diz do fumo entre os densos nevoeiros:
"Vibrai rijo o chicote, marinheiros!
    Fazei-os mais dançar!..."

E ri-se a orquestra irônica, estridente...
E da ronda fantástica a serpente
    Faz doidas espirais...
Qual um sonho dantesco as sombras voam!...
Gritos, ais, maldições, preces ressoam!
    E ri-se Satanás!...

V

Senhor Deus dos desgraçados!
Dizei-me vós, Senhor Deus!
Se é loucura... se é verdade
Tanto horror perante os céus?!
Ó mar, por que não apagas
Co'a esponja de tuas vagas
De teu manto este borrão?...
Astros! noites! tempestades!
Rolai das imensidades!
Varrei os mares, tufão!

Quem são estes desgraçados
Que não encontram em vós
Mais que o rir calmo da turba
Que excita a fúria do algoz?
Quem são? Se a estrela se cala,
Se a vaga à pressa resvala
Como um cúmplice fugaz,
Perante a noite confusa...

CASTRO ALVES

Dize-o tu, severa Musa,
Musa libérrima, audaz!...

São os filhos do deserto,
Onde a terra esposa a luz.
Onde vive em campo aberto
A tribo dos homens nus...
São os guerreiros ousados
Que com os tigres mosqueados
Combatem na solidão.
Ontem simples, fortes, bravos...
Hoje míseros escravos,
Sem ar, sem luz, sem razão...

São mulheres desgraçadas,
Como Agar o foi também.
Que sedentas, alquebradas,
De longe... bem longe vêm...
Trazendo com tíbios passos,
Filhos e algemas nos braços,
N'alma, lágrimas e fel...
Como Agar sofrendo tanto,
Que nem o leite de pranto
Têm que dar para Ismael.

Lá nas areias infindas,
Das palmeiras no país,
Nasceram crianças lindas,
Viveram moças gentis...
Passa um dia a caravana,
Quando a virgem na cabana
Cisma da noite nos véus...
... Adeus, ó choça do monte,

Os Escravos

... Adeus, palmeiras da fonte!...
... Adeus, amores... adeus!...

Depois, o areal extenso...
Depois, o oceano de pó.
Depois no horizonte imenso
Desertos... desertos só...
E a fome, o cansaço, a sede...
Ai! quanto infeliz que cede,
E cai pra não mais s'erguer!...
Vaga um lugar na cadeia,
Mas o chacal sobre a areia
Acha um corpo que roer.

Ontem a Serra Leoa,
A guerra, a caça ao leão,
O sono dormido à toa
Sob as tendas d'amplidão!
Hoje... o porão negro, fundo,
Infecto, apertado, imundo,
Tendo a peste por jaguar...
E o sono sempre cortado
Pelo arranco de um finado,
E o baque de um corpo ao mar...

Ontem plena liberdade,
A vontade por poder...
Hoje... cúm'lo de maldade,
Nem são livres pra morrer.
Prende-os a mesma corrente,
Férrea, lúgubre serpente,
Nas roscas da escravidão.
E assim zombando da morte,

Dança a lúgubre coorte
Ao som do açoute... Irrisão!...

Senhor Deus dos desgraçados!
Dizei-me vós, Senhor Deus,
Se eu deliro... ou se é verdade
Tanto horror perante os céus?!...
Ó mar, por que não apagas
Co'a esponja de tuas vagas
Do teu manto este borrão?
Astros! noites! tempestades!
Rolai das imensidades!
Varrei os mares, tufão!...

VI

Existe um povo que a bandeira empresta
Pra cobrir tanta infâmia e covardia!...
E deixa-a transformar-se nessa festa
Em manto impuro de bacante fria!...
Meu Deus! meu Deus! mas que bandeira é esta,
Que impudente na gávea tripudia?
Silêncio, Musa... chora, e chora tanto
Que o pavilhão se lave no teu pranto!...

Auriverde pendão de minha terra,
Que a brisa do Brasil beija e balança,
Estandarte que a luz do sol encerra
E as promessas divinas da esperança...
Tu que, da liberdade após a guerra,
Foste hasteado dos heróis na lança,
Antes te houvessem roto na batalha,
Que servires a um povo de mortalha!...

Os Escravos

Fatalidade atroz que a mente esmaga!
Extingue nesta hora o brigue imundo
O trilho que Colombo abriu nas vagas,
Como um íris no pélago profundo!
Mas é infâmia demais!... da etérea plaga
Levantai-vos, heróis do Novo Mundo!
Andrada! arranca esse pendão dos ares!
Colombo! fecha a porta dos teus mares!

O SÉCULO

> Soldados, do alto daquelas pirâmides,
> quarenta séculos vos contemplam!
> Napoleão

> O século é grande e forte.
> Victor Hugo

> Da mortalha de seus bravos
> Fez bandeira a tirania
> Oh! armas talvez o povo
> De seus ossos faça um dia.
> José Bonifácio

O séc'lo é grande… No espaço
Há um drama de treva e luz.
Como Cristo a liberdade
Sangra no poste da cruz.
Um corvo escuro, anegrado,
Obumbra o manto azulado,
Das asas d'águia dos céus…
Arquejam peitos e frontes…
Nos lábios dos horizontes
Há um riso de luz… é Deus.

Os Escravos

Às vezes quebra o silêncio
Ronco estrídulo, feroz.
Será o rugir das matas,
Ou da plebe a imensa voz?...
Treme a terra hirta e sombria...
São as vascas da agonia
Da liberdade no chão?...
Ou do povo o braço ousado
Que, sob montes calcado,
Abala-os como um Titão?!...

Ante esse escuro problema
Há muito irônico rir.
Pra nós o vento da esp'rança
Traz o pólen do porvir.
E enquanto o ceticismo
Mergulha os olhos no abismo,
Que a seus pés raivando tem,
Rasga o moço os nevoeiros,
Pra dos morros altaneiros
Ver o sol que irrompe além.

Toda noite tem auroras,
Raios, toda a escuridão.
Moços, creiamos, não tarda
A aurora da redenção.
Gemer é esperar um canto...
Chorar, aguardar que o pranto
Faça-se estrela nos céus.
O mundo é o nauta nas vagas...
Terá do oceano as plagas
Se existem justiça e Deus.

Castro Alves

No entanto inda há muita noite
No mapa da criação.
Sangra o abutre dos tiranos
Muito cadáver, nação.
Desce a Polônia esvaída,
Cataléptica, adormida,
À tumba do Sobieski;
Inda em sonhos busca a espada...
Os reis passam sem ver nada...
E o Czar olha e sorri...

Roma inda tem sobre o peito
O pesadelo dos reis;
A Grécia espera chorando
Canaris, Byron talvez!
Napoleão amordaça
A boca da populaça
E olha Jersey com terror;
Como o filho de Sorrento,
Treme ao fitar um momento
O Vesúvio aterrador.

A Hungria é como um cadáver
Ao relento exposto nu;
Nem sequer a abriga a sombra
Do foragido Kossuth.
Aqui, o México ardente,
Vasto filho independente
Da liberdade e do sol,
Jaz por terra... e lá soluça
Juarez, que se debruça
E diz-lhe: "Espera o arrebol!"

Os Escravos

O quadro é negro. Que os fracos
Recuem cheios de horror.
A nós, herdeiros dos Gracos,
Traz a desgraça valor!
Lutai... há uma lei sublime
Que diz: "À sombra do crime
Há de a vingança marchar".
Não ouvis do Norte um grito,
Que bate aos pés do infinito,
Que vai Franklin despertar?

É o grito dos Cruzados
Que brada aos moços – "De pé!"
É o sol das liberdades
Que espera por Josué.
São bocas de mil escravos
Que transformaram-se em bravos
Ao cinzel da abolição.
E, à voz dos libertadores,
Reptis saltam condores,
A topetar n'amplidão!...

E vós, arcas do futuro,
Crisálidas do porvir,
Quando vosso braço ousado
Legislações construir,
Levantai um templo novo,
Porém não que esmague o povo,
Mas lhe seja o pedestal.
Que ao menino dê-se a escola,
Ao veterano, uma esmola...
A todos, luz e fanal.

Luz!… sim; que a criança é uma ave,
Cujo porvir tendes vós;
No sol é uma águia arrojada,
Na sombra, um mocho feroz.
Libertai tribunas, prelos…
São fracos, mesquinhos elos…
Não calqueis o povo-rei!
Que este mar d'almas e peitos,
Com as vagas de seus direitos,
Virá partir-vos a lei.

Quebre-se o cetro do Papa,
Faça-se dele uma cruz,
A púrpura sirva ao povo
Pra cobrir os ombros nus.
Ao grito do Niágara
Sem escravos, Guanabara
Se eleve ao fulgor dos sóis!
Banhem-se em luz os prostíbulos,
E das lascas dos patíbulos
Erga-se estátua aos heróis!

Basta!… Eu sei que a mocidade
É o Moisés no Sinai;
Das mãos do Eterno recebe
As tábuas da lei! marchai!
Quem cai na luta com glória,
Tomba nos braços da história,
No coração do Brasil!
Moços, do topo dos Andes,
Pirâmides vastas, grandes,
Vos contemplam séc'los mil!

O SIBARITA ROMANO

> Este olhar, estes lábios, estas rugas exprimem uma sede
> impaciente e impossível de saciar. Quer e não pode.
> Sente o desejo e a impaciência.
> Lavater

Escravo, dá-me a c'roa de amaranto
Que mandou-me inda há pouco Afra impudente.
Orna-me a fronte... Enrola-me os cabelos,
Quero o mole perfume do Oriente.

Lança nas chamas dessa etrusca pira
O nardo trescalante de Medina.
Vem... desenrola aos pés do meu triclínio
As felpas de uma colcha bizantina.

Oh! tenho tédio... Embalde, ao pôr da tarde,
Pelas nereidas louras embalado,
Vogo em minha galera ao som das harpas,
Da cortesã nos seios recostado.

Debalde, em meu palácio altivo, imenso,
De mosaicos brilhantes embutido,
Nuas, volvem as filhas do Oriente
No morno banho em termas de porfido.

Castro Alves

Só amo o circo... a dor, gritos e flores,
A pantera, o leão de hirsuta coma;
Onde o banho de sangue do universo
Rejuvenesce a púrpura de Roma.

E o povo rei, na vítima do mundo,
Palpa as entranhas que inda sangue escorrem,
E ergue-se o grito extremo dos cativos:
"Ave, Cesar! saúdam-te os que morrem!"

Escravo, quero um canto... vibra a lira,
De Orfeu desperta a fibra dolorida,
Canta a volúpia das bacantes nudas,
Fere o hino de amor que inflama a vida.

Doce, como do Himeto o mel dourado,
Puro como o perfume... Escravo insano!
Teu canto é o grito rouco das Eumênides,
Sombrio como um verso de Lucano.

Quero a ode de amor que o vento canta
Do Palatino aos flóreos arvoredos.
Quero os cantos de Nero... Escravo infame,
Quebras as cordas nos convulsos dedos!

Deixa esta lira! como o tempo é longo!
Insano! insano! que tormento sinto!
Traze o louro falerno transparente
Na mais custosa taça de Corinto.

Os Escravos

Pesa-me a vida!... está deserto o fórum!
E o tédio!... o tédio!... que infernal ideia!
Dá-me a taça, e do ergástulo das servas
Tua irmã trar-me-ás, a grega Haideia!

Quero em seu seio... Escravo desgraçado,
A este nome tremeu-te o braço exangue?
Vê... Manchaste-me a toga com o falerno,
Irás manchar o Coliseu com o sangue!

O SOL E O POVO

Le peuple a sa colére et le volcan sa lave.
Victor Hugo

Ya desatado
El horrendo huracán silba contigo
¿Que muralla, qué abrigo
Bastaran contra ti?
Mário Quintana

O sol, do espaço Briaréu gigante,
Pra escalar a montanha do infinito,
Banha em sangue as campinas do levante.

Então em meio dos Saaras, o Egito
Humilde curva a fronte e um grito errante
Vai despertar a Esfinge de granito.

O povo é como o sol! Da treva escura
Rompe um dia co'a destra iluminada,
Como o Lázaro, estala a sepultura!...

Oh! temei-vos da turba esfarrapada,
Que salva o berço à geração futura,
Que vinga a campa à geração passada.

O VIDENTE

> Virá o dia da felicidade e justiça para todos.
> Isaías

Às vezes quando à tarde, nas tardes brasileiras,
A cisma e a sombra descem das altas cordilheiras;
Quando a viola acorda na choça o sertanejo
E a linda lavadeira cantando deixa o brejo,
E a noite, a freira santa, no órgão das florestas
Um salmo preludia nos troncos, nas giestas;
Se acaso solitário passo pelas picadas,
Que torcem-se escamosas nas lapas escarpadas,
Encosto sobre as pedras a minha carabina,
Junto a meu cão, que dorme nas sarças da colina,
E, como uma harpa eólia entregue ao tom dos ventos,
Estranhas melodias, estranhos pensamentos,
Vibram-me as cordas d'alma enquanto absorto cismo,
Senhor! vendo tua sombra curvada sobre o abismo,
Colher a prece alada, o canto que esvoaça
E a lágrima que orvalha o lírio da desgraça,
Então, num êxtase santo, escuto a terra e os céus.
E o vácuo se povoa de tua sombra, ó Deus!

Ouço o cantar dos astros no mar do firmamento;
No mar das matas virgens ouço o cantar do vento,
Aromas que s'elevam, raios de luz que descem,

Estrelas que despontam, gritos que se esvaecem,
Tudo me traz um canto de imensa poesia,
Como a primícia santa da grande profecia;
Tudo me diz que o Eterno, na idade prometida,
Há de beijar na face a terra arrependida.
E, desse beijo santo, desse ósculo sublime
Que lava a iniquidade, a escravidão e o crime,
Hão de nascer virentes nos campos das idades,
Amores, esperanças, glórias e liberdades!
Então, num êxtase santo, escuto a terra e os céus,
O vácuo se povoa de tua sombra, ó Deus!

E, ouvindo nos espaços as louras utopias
Do futuro cantarem as doces melodias,
Dos povos, das idades, a nova promissão...
Me arrasta ao infinito a águia da inspiração...
Então me arrojo ousado das eras através,
Deixando estrelas, séculos, volverem-se a meus pés...
Porque em minh'alma sinto ferver enorme grito,
Ante o estupendo quadro das telas do infinito...
Que faz que, em santo êxtase, eu veja a terra e os céus,
E o vácuo povoado de tua sombra, ó Deus!

Eu vejo a terra livre... como outra Madalena,
Banhando a fronte pura na viração serena,
Da urna do crepúsculo, verter nos céus azuis
Perfumes, luzes, preces, curvada aos pés da cruz...
No mundo, tenda imensa da humanidade inteira,
Que o espaço tem por teto, o sol tem por lareira,
Feliz se aquece unida a universal família.
Oh! dia sacrossanto em que a justiça brilha,
Eu vejo em ti das ruínas vetustas do passado,
O velho sacerdote augusto e venerado

Os Escravos

Colher a parasita, a santa flor, o culto,
Como o coral brilhante do mar na vasa oculto...
Não mais inunda o templo a vil superstição;
A fé, a pomba mística, e a águia da razão,
Unidas se levantam do vale escuro d'alma,
Ao ninho do infinito voando em noite calma.
Mudou-se o férreo cetro, esse aguilhão dos povos,
Na virga do profeta coberta de renovos.

E o velho cadafalso horrendo e corcovado,
Ao poste das idades por irrisão ligado
Parece embalde tenta cobrir com as mãos a fronte,
Abutre que esqueceu que o sol vem no horizonte.
Vede: as crianças louras aprendem no Evangelho
A letra que comenta algum sublime velho,
Em toda a fronte há luzes, em todo o peito amores,
Em todo o céu estrelas, em todo o campo flores...
E enquanto, sob as vinhas, a ingênua camponesa
Enlaça às negras tranças a rosa da deveza;
Dos Saaras africanos, dos gelos da Sibéria,
Do Cáucaso, dos campos dessa infeliz Ibéria,
Dos mármores lascados da terra santa homérica,
Dos pampas, das savanas desta soberba América
Prorrompe o hino livre, o hino do trabalho!
E, ao canto dos obreiros, na orquestra audaz do malho,
O ruído se mistura da imprensa, das ideias,
Todos da liberdade forjando as epopeias,
Todos co'as mãos calosas, todos banhando a fronte
Ao sol da independência que irrompe no horizonte.

Oh! escutai! ao longe vago rumor se eleva
Como o trovão que ouviu-se quando na escura treva,
O braço onipotente rolou Satã maldito.

Castro Alves

É outro condenado ao raio do infinito,
É o retumbar por terra desses impuros paços,
Desses serralhos negros, desses Egeus devassos,
Saturnos de granito, feitos de sangue e ossos
Que bebem a existência do povo nos destroços...

***

Enfim a terra é livre! Enfim lá do Calvário
A águia da liberdade, no imenso itinerário,
Voa do Calpe brusco às cordilheiras grandes,
Das cristas do Himalaia aos píncaros dos Andes!
Quebraram-se as cadeias, é livre a terra inteira,
A humanidade marcha com a Bíblia por bandeira;
São livres os escravos... quero empunhar a lira,
Quero que est'alma ardente um canto audaz desfira,
Quero enlaçar meu hino aos murmúrios dos ventos,
Às harpas das estrelas, ao mar, aos elementos!

***

Mas, ai! longos gemidos de míseros cativos,
Tinidos de mil ferros, soluços convulsivos,
Vêm-me bradar nas sombras, como fatal vedeta:
"Que pensas, moço triste? Que sonhas tu, poeta?"
Então curvo a cabeça de raios carregada,
E, atando brônzea corda à lira amargurada,
O canto de agonia arrojo à terra, aos céus,
E ao vácuo povoado de tua sombra, oh Deus!

PROMETEU

"Oh mon auguste mère, et vous enveloppe de la commune lumière,
divin éther, voyez quels injustes tourments on me fait souffrir."
Qui compatit à cette grande souffrance, qui s'approche du rocher
désert où se tord Prométhée? Quelques pauvres filles, pieds nus.
Ésquilo

Inda arrogante e forte, o olhar no sol cravado,
Sublime no sofrer, vencido, não domado,
Na última agonia arqueja Prometeu.
O Cáucaso é seu cepo; é seu sudário o céu,
Como um braço de algoz, que em sangueira se nutre,
Revolve-lhe as entranhas o pescoço do abutre.
Pra as iras lhe sustar, corta o raio a amplidão
E em correntes de luz prende, amarra o Titão.

Agonia sublime!... E ninguém nesta hora
Consola aquela dor, naquela angústia chora.
Ai! por cúm'lo de horror!... o Oriente golfa a luz,
No Olímpo brinca o amor por entre os seios nus.
De tirso em punho o bando das lúbricas bacantes,
Correm montanha e val em danças delirantes;
E ao gigante caído... a terra e o céu (rivais!...)
Prantos lascivos dão... suor de bacanais.

Castro Alves

***

Mas não! Quando arquejante no poste de granito
Se estorce Prometeu, gigantesco precito,
Vós, Nereidas gentis, meigas filhas do mar!
O oceano lhe trazeis, pra em prantos derramar...

Povo! povo infeliz! Povo, mártir eterno,
Tu és do cativeiro o Prometeu moderno...
Enlaça-te no poste a cadeia das leis,
O pescoço do abutre é o cetro dos maus reis.
Para tais dimensões, pra músculos tão grandes,
Era pequeno o Cáucaso... amarram-te nos Andes.

E enquanto, tu, Titão, sangrento arcas aí,
O século da luz olha... caminha... ri...
Mas não! mártir divino, Encélado tombado!
Junto ao Calvário teu, por todos desprezado,
A musa do poeta irá, filha do mar,
O oceano de sua alma... em cantos derramar...

REMORSO

(Ao assassino de Lincoln)

Cain! Cain!
Byron

Neque fama deum, nec fulmina, nec mini tanti
Murmure, compressit coelum...
Lucrécio

Cavaleiro sinistro, embuçado,
Neste negro cavalo montado,
Onde vais galopando veloz?
Tu não vês como o vento farfalha,
E das nuvens sacode a mortalha
Ululando com lúgubre voz?

Cavaleiro, onde vais? tu não sentes
Teu capote seguro nos dentes
E nas garras do negro tufão,
Nestas horas de horror e segredo
Quando os mangues s'escondem com medo
Tiritando do mar n'amplidão?

Castro Alves

Quando a serra se embuça em neblinas
E as lufadas sacodem as crinas
Do pinheiro que geme no val,
E no espaço se apagam as lampas,
E uma chama azulada nas campas
Lambe as pedras por noite hibernal,

Onde vais? Onde vais temerário
A correr... a voar?... Que fadário
Aos ouvidos te grita, "fugi"?
Por que fitas o olhar desvairado
No horizonte que foge espantado
Em tuas costas com medo de ti?

Ai! debalde galopas a est'hora!
É debalde que sangra na espora
Negro flanco do negro corcel.
E no célere rápido passo
Devorando com as patas o espaço
Saltas montes e vales revel.

Não apagas da fronte o ferrete
Onde o crime com frio estilete
Nome estranho bem fundo gravou.
O que buscas? A noite sem lumes?
Pra aclarar-te fatais vagalumes
Teu cavalo do chão despertou.

De bem longe o arvoredo trevoso,
Estirando o pescoço nodoso,
Vem, correndo, na estrada te olhar.
Mas tua fronte maldita encarando,
Foge... foge veloz recuando,
Vai nas brumas a fronte velar.

Os Escravos

Tu não vês? Qual matilha esfaimada,
Lá dos morros por sobre a quebrada,
Ladra o eco gritando: "Quem és?"
Onde vais, cavaleiro maldito?
Mesmo oculto nos véus do infinito
Tua sombra te morde nos pés.

SAUDAÇÃO A PALMARES

Nos altos cerros erguido
Ninho de águias atrevido,
Salve! país do bandido!
Salve! pátria do jaguar!
Verde serra onde os palmares,
Como indianos cocares,
No azul dos colúmbios ares,
Desfraldam-se em mole arfar!

Salve! região dos valentes
Onde os ecos estridentes
Mandam aos plainos trementes
Os gritos do caçador!
E ao longe os latidos soam,
E as trompas da caça atroam...
E os corvos negros revoam
Sobre o campo abrasador!...

Palmares! a ti meu grito!
A ti, barca de granito,
Que no soçobro infinito
Abriste a vela ao trovão.
E provocaste a rajada,
Solta a flâmula agitada

Os Escravos

Aos uivos da marujada
Nas ondas da escravidão!

De bravos soberbo estádio,
Das liberdades paládio,
Pegaste o punho do gládio,
E olhaste rindo pra o val:
"Surgi de cada horizonte,
Senhores! Eis-me de fronte!"
E riste... riso de um monte!
E a ironia de um chacal!

Cantem eunucos devassos
Dos reis os marmóreos paços;
E beijem os férreos laços,
Que não ousam sacudir...
Eu canto a beleza tua,
Caçadora seminua,
Em cuja perna flutua
Ruiva a pele de um tapir!

Crioula! o teu seio escuro
Nunca deste ao beijo impuro!
Fugidio, firme, duro,
Guardaste-o pra um nobre amor.
Negra Diana selvagem,
Que escutas, sob a ramagem,
As vozes, que traz a aragem,
Do teu rijo caçador!

Salve! Amazona guerreira!
Que nas rochas da clareira,
Aos urros da cachoeira,

Castro Alves

Sabes bater e lutar...
Salve! nos cerros erguido,
Ninho, onde em sono atrevido,
Dorme o condor... e o bandido,
A liberdade... e o jaguar!

SÚPLICA

La nègre marqué au signe de Dieu comme vous passera désormais du berceau à la fosse, la nuit sur son âme, la nuít sur la figure.
Pelletan

Senhor Deus, dá que a boca da inocência
    Possa ao menos sorrir,
Como a flor da granada abrindo as pet'las
    Da alvorada ao surgir.

Dá que um dedo de mãe aponte ao filho
    O caminho dos céus,
E seus lábios derramem como pérolas
    Dois nomes, filho e Deus.

Que a donzela não manche em leito impuro
    A grinalda do amor.
Que a honra não se compre ao carniceiro
    Que se chama senhor.

Dá que o brio não cortem como o cardo
    Filho do coração.
Nem o chicote acorde o pobre escravo
    A cada aspiração.

Insultam e desprezam da velhice
    A coroa de cãs.
Ante os olhos do irmão em prostitutas
    Transformam-se as irmãs.

A esposa é bela... Um dia o pobre escravo
    Solitário acordou;
E o vício quebra e ri do nó perpétuo
    Que a mão de Deus atou.

Do abismo em pego, de desonra em crime
    Rola o mísero a sós.
Da lei sangrento o braço rasga as vísceras
    Como o abutre feroz.

Vê!... A inocência, o amor, o brio, a honra,
    E o velho no balcão.
Do berço à sepultura a infâmia escrita...
    Senhor Deus! compaixão!...

TRAGÉDIA NO LAR

Na senzala, úmida, estreita,
Brilha a chama da candeia,
No sapé se esgueira o vento
E a luz da fogueira ateia.

Junto ao fogo, uma Africana,
Sentada, o filho embalando,
Vai lentamente cantando
Uma tirana indolente,
Repassada de aflição.
E o menino ri contente...
Mas treme e grita gelado,
Se nas palhas do telhado
Ruge o vento do sertão.

Se o canto para um momento,
Chora a criança imprudente...
Mas continua a cantiga...
E ri sem ver o tormento
Daquele amargo cantar.
Ai! triste, que enxugas rindo
Os prantos que vão caindo
Do fundo, materno olhar,
E nas mãozinhas brilhantes
Agitas como diamantes
Os prantos do seu penar...

Castro Alves

E voz como um soluço lacerante
Continua a cantar:

"Eu sou como a garça triste
Que mora à beira do rio,
As orvalhadas da noite
Me fazem tremer de frio.

"Me fazem tremer de frio
Como os juncos da lagoa;
Feliz da araponga errante
Que é livre, que livre voa.

"Que é livre, que livre voa
Para as bandas do seu ninho,
E nas braúnas à tarde
Canta longe do caminho.

"Canta longe do caminho
Por onde o vaqueiro trilha,
Se quer descansar as asas,
Tem a palmeira, a baunilha.

"Tem a palmeira, a baunilha,
Tem o brejo, a lavadeira,
Tem as campinas, as flores,
Tem a relva, a trepadeira,

"Tem a relva, a trepadeira,
Todas têm os seus amores,
Eu não tenho mãe nem filhos,
Nem irmão, nem lar, nem flores."

Os Escravos

A cantiga cessou... Vinha da estrada
A trote largo, linda cavalhada
    De estranho viajor,
Na porta da fazenda eles paravam,
Das mulas boleadas apeavam
E batiam na porta do senhor.

Figuras pelo sol tisnadas, lúbricas,
Sorrisos sensuais, sinistro olhar,
    Os bigodes retorcidos,
    O cigarro a fumegar,
    O rebenque prateado
    Do pulso dependurado,
    Largas chilenas luzidas,
    Que vão tinindo no chão,
    E as garruchas embebidas
    No bordado cinturão.

A porta da fazenda foi aberta;
    Entraram no salão.

Por que tremes mulher? A noite é calma,
Um bulício remoto agita a palma
    Do vasto coqueiral.
Tem pérolas o rio, a noite lumes,
A mata sombras, o sertão perfumes,
    Murmúrio o bananal.

Por que tremes, mulher? Que estranho crime,
Que remorso cruel assim te oprime
    E te curva a cerviz?
O que nas dobras do vestido ocultas?
É um roubo talvez que aí sepultas?
    É seu filho... Infeliz!...

Castro Alves

Ser mãe é um crime, ter um filho, roubo!
Amá-lo uma loucura! Alma de lodo,
    Para ti, não há luz.
Tens a noite no corpo, a noite na alma,
Pedra que a humanidade pisa calma,
    Cristo que verga à cruz!

Na hipérbole do ousado cataclisma
Um dia Deus morreu... fuzila um prisma
    Do Calvário ao Tabor!
Viu-se então de Palmira os pétreos ossos,
De Babel o cadáver de destroços
    Mais lívidos de horror.

Era o relampejar da liberdade
Nas nuvens do chorar da humanidade,
    Ou sarça do Sinai,
Relâmpagos que ferem de desmaios...
Revoluções, vós deles sois os raios,
    Escravos, esperai!...

    ***

    Leitor, se não tens desprezo
    De vir descer às senzalas,
    Trocar tapetes e salas
    Por um alcouce cruel,
    Vem comigo, mas... cuidado...
    Que o teu vestido bordado
    Não fique no chão manchado,
    No chão do imundo bordel.

Os Escravos

Não venhas tu que achas triste
Às vezes a própria festa.
Tu, grande, que nunca ouviste
Senão gemidos da orquestra.
Por que despertar tu'alma,
Em sedas adormecida,
Esta excrescência da vida
Que ocultas com tanto esmero?
E o coração, tredo lodo,
Fezes d'ânfora dourada
Negra serpe, que enraivada,
Morde a cauda, morde o dorso,
E sangra às vezes piedade,
E sangra às vezes remorso?...

Não venham esses que negam
A esmola ao leproso, ao pobre.
A luva branca do nobre
Oh! senhores, não mancheis...
Os pés lá pisam em lama,
Porém as frontes são puras
Mas vós nas faces impuras
Tendes lodo, e pus nos pés.

Porém vós, que no lixo do oceano
A pérola de luz ides buscar,
Mergulhadores deste pego insano
Da sociedade, deste tredo mar,
Vinde ver como rasgam-se as entranhas
De uma raça de novos Prometeus,
Ai! vamos ver guilhotinadas almas
Da senzala nos vivos mausoléus.

– "Escrava, dá-me teu filho!
Senhores, ide-lo ver:
É forte, de uma raça bem provada,
Havemos tudo fazer."

Assim dizia o fazendeiro, rindo,
E agitava o chicote...
    A mãe que ouvia
Imóvel, pasma, doida, sem razão!
    À Virgem Santa pedia
    Com prantos por oração;
    E os olhos no ar erguia
    Que a voz não podia, não.

– "Dá-me teu filho!" – repetiu fremente
O senhor, de sobr'olho carregado.
– "Impossível!..."
    – "Que dizes, miserável?!"
– "Perdão, senhor! perdão! meu filho dorme...
Inda há pouco o embalei, pobre inocente,
    Que nem sequer pressente
Que ides..."
    – "Sim, que o vou vender!"
– "Vender?!... Vender meu filho?!

    "Senhor, por piedade, não...
    Vós sois bom... antes do peito
    Me arranqueis o coração!
    Por piedade, matai-me! Oh! é impossível
    Que me roubem da vida o único bem!
    Apenas sabe rir... é tão pequeno!
    Inda não sabe me chamar?... Também
    Senhor, vós tendes filhos... quem não tem?

Os Escravos

"Se alguém quisesse os vender
Havíeis muito chorar
Havíeis muito gemer,
Diríeis a rir, perdão?!
Deixai meu filho… arrancai-me
Antes a alma e o coração!"

– "Cala-te miserável! Meus senhores,
O escravo podeis ver…"

E a mãe em pranto aos pés dos mercadores
Atirou-se a gemer.

– "Senhores! basta a desgraça
De não ter pátria nem lar,
De ter honra e ser vendida
De ter alma e nunca amar!

"Deixai à noite que chora
Que espere ao menos a aurora,
Ao ramo seco uma flor;
Deixai o pássaro ao ninho,
Deixai à mãe o filhinho,
Deixai à desgraça o amor.

"Meu filho é-me a sombra amiga
Neste deserto cruel!…
Flor de inocência e candura.
Favo de amor e de mel!

"Seu riso é minha alvorada,
Sua lágrima dourada
Minha estrela, minha luz!

Castro Alves

    É da vida o único brilho
    Meu filho! é mais... é meu filho
    Deixai-mo em nome da Cruz!..."

Porém nada comove homens de pedra,
Sepulcros onde é morto o coração.
A criança do berço ei-los arrancam
Que os bracinhos estende e chora em vão!

    Mudou-se a cena. Já vistes
    Bramir na mata o jaguar,
    E no furor desmedido
    Saltar, raivando atrevido,
    O ramo, o tronco estalar,
    Morder os cães que o morderam...
    De vítima feita algoz,
    Em sangue e horror envolvido
    Terrível, bravo, feroz?

Assim a escrava da criança ao grito
    Destemida saltou,
E a turba dos senhores aterrada
    Ante ela recuou.

– "Nem mais um passo, covardes!
Nem mais um passo! ladrões!
Se os outros roubam as bolsas,
Vós roubais os corações!..."

Entram três negros possantes,
Brilham punhais traiçoeiros...
Rolam por terra os primeiros
Da morte nas contorções.

Os Escravos

***

Um momento depois a cavalgada
Levava a trote largo pela estrada
    A criança a chorar.
Na fazenda o azorrague então se ouvia
E aos golpes, uma doida respondia
    Com frio gargalhar!...

VOZES D'ÁFRICA

Deus! ó Deus! onde estás que não respondes?
Em que mundo, em qu'estrela tu t'escondes
    Embuçado nos céus?
Há dois mil anos te mandei meu grito,
Que embalde, desde então, corre o infinito…
    Onde estás, Senhor Deus?…

Qual Prometeu, tu me amarraste um dia
Do deserto na rubra penedia
    Infinito galé!…
Por abutre, me deste o sol ardente,
E a terra de Suez foi a corrente
    Que me ligaste ao pé…

O cavalo estafado do Beduíno
Sob a vergasta tomba ressupino,
    E morre no areal.
Minha garupa sangra, a dor poreja,
Quando o chicote do *simoun* dardeja
    O teu braço eternal.

Minhas irmãs são belas, são ditosas…
Dorme a Ásia nas sombras voluptuosas
    Dos haréns do Sultão.

Os Escravos

Ou no dorso dos brancos elefantes
Embala-se coberta de brilhantes
    Nas plagas do Hindustão.

Por tenda tem os cimos do Himalaia...
O Ganges amoroso beija a praia
    Coberta de corais...
A brisa de Misora o céu inflama;
E ela dorme nos templos do deus Brahma,
    Pagodes colossais...

A Europa é sempre Europa, a gloriosa!...
A mulher deslumbrante e caprichosa,
    Rainha e cortesã.
Artista, corta o mármore de Carrara;
Poetisa, tange os hinos de Ferrara,
    No glorioso afã!...

Sempre a láurea lhe cabe no litígio...
Ora uma c'roa, ora o barrete frígio,
    Enflora-lhe a cerviz,
Universo após ela, doido amante
Segue cativo o passo delirante
    Da grande meretriz.

Mas eu, Senhor!... Eu triste, abandonada
Em meio dos desertos desgarrada,
    Perdida marcho em vão!
Se choro... bebe o pranto a areia ardente!
Talvez... pra que meu pranto, ó Deus clemente,
    Não descubras no chão...

Castro Alves

E nem tenho uma sombra de floresta...
Para cobrir-me nem um templo resta
    No solo abrasador...
Quando subo às pirâmides do Egito,
Embalde aos quatro céus chorando grito:
    "Abriga-me, Senhor!..."

Como o profeta em cinza a fronte envolve,
Velo a cabeça no areal, que volve
    O siroco feroz...
Quando eu passo no Saara amortalhada...
Ai! dizem: "Lá vai África embuçada
    No seu branco albornoz..."

Nem veem que o deserto é meu sudário,
Que o silêncio campeia solitário
    Por sobre o peito meu.
Lá no solo onde o cardo apenas medra
Boceja a Esfinge colossal de pedra
    Fitando o morno céu.

De Tebas nas colunas derrocadas
As cegonhas espiam debruçadas
    O horizonte sem fim...
Onde branqueia a caravana errante,
E o camelo monótono, arquejante
    Que desce de Efraim...

    ***

Não basta inda de dor, ó Deus terrível?!...
É pois teu peito eterno, inexaurível
    De vingança e rancor?

Os Escravos

E que é que fiz, Senhor? Que torvo crime
Eu cometi jamais, que assim me oprime
    Teu gládio vingador?!

    ***

Foi depois do dilúvio... Um viajante,
Negro, sombrio, pálido, arquejante,
    Descia do Arará...
E eu disse ao peregrino fulminado:
"Cam!... serás meu esposo bem-amado...
    Serei tua Eloá..."

Desde esse dia o vento da desgraça
Por meus cabelos ululando passa
    O anátema cruel.
As tribos erram do areal nas vagas,
E o nômade faminto corta as plagas
    No rápido corcel.

Vi a ciência desertar do Egito...
Vi meu povo seguir, Judeu maldito,
    Filho de perdição.
Depois vi minha prole desgraçada,
Pelas garras d'Europa arrebatada,
    Amestrado falcão!...

Cristo! embalde morreste sobre um monte...
Teu sangue não lavou da minha fronte
    A mancha original.
Ainda hoje são, por fado adverso,
Meus filhos, alimária do universo,
    Eu, pasto universal...

Castro Alves

Hoje em meu sangue a América se nutre:
Condor que transformara-se em abutre,
    Ave da escravidão.
Ela juntou-se às mais... irmã traidora!
Qual de José os vis irmãos, outrora,
    Venderam seu irmão!

        ***

Basta, Senhor! De teu potente braço
Role através dos astros e do espaço
    Perdão pra os crimes meus!
Há dois mil anos eu soluço um grito...
escuta o brado meu lá no infinito,
    Meu Deus! Senhor, meu Deus!!...